Histoire d'une Revanche

THE SCRIBNER FRENCH SERIES

General Editor, EDWARD D. SULLIVAN
Princeton University

Histoire d'une Revanche

adapted from

Le Comte de Monte-Cristo

by

Alexandre Dumas

Edited in basic French by

LOUISE C. SEIBERT   and   LESTER G. CROCKER

Goucher College   *Western Reserve University*

CHARLES SCRIBNER'S SONS
NEW YORK

ACKNOWLEDGMENTS

The authors wish to express their grateful thanks to Mademoiselle
Madeleine Quémet, Officier d'Académie, and to Madame André
Barrabini, teacher of French at the Roland Park Country School,
Baltimore, for their painstaking and critical reading of the text.

Introduction

In the course of the preliminary studies and testing undertaken for the writing of *Skills and Techniques for Reading French**, the authors discovered some interesting facts about the reading habits of college students and the causes for the many failures to achieve a reasonable degree of proficiency in reading. Among these were the following:

(1) Bad habits are due mainly to the fact that students are asked to read material far too difficult for their level of preparation. As a result, reading is constantly interrupted by the necessity of looking for the meaning of a word in the vocabulary or referring to the numerous notes at the bottom of the page. This interrupts the eye's movements and the natural sweep of reading. Moreover, it leads to the practice of reading word by word instead of trying to grasp the meaning of the whole sentence. Reading thus becomes a tiresome chore and any interest that the student may have had in reading is killed forthwith.

(2) Teachers are often too prone to ask for the translation of a passage as a means of checking reading ability, thus confusing ability to comprehend with the far more difficult ability to translate.

(3) Readers are mostly designed to be used as a classroom text with a study of grammatical constructions and question and answer exercises. We do not have any quarrel with this procedure for teaching the *language* but we dissent if the aim is to teach *reading*. Reading, as a function, is quite different from the acquisition of aural and oral skills and consequently should be taught separately and with techniques designed for the object to be achieved.

---

* Louise C. Seibert and Lester G. Crocker, *Skills and Techniques for Reading French* (The Johns Hopkins Press, Baltimore, Md., 1958).

When we say "taught," this is a manner of speaking, for reading is a self-taught ability acquired by practice. All we need to do is to put into the student's hand a text appropriate to his proficiency level and interesting enough to elicit in him the desire to read, and he will do the rest. We believe also that the acquisition of some reading skill should begin quite early. It is the most easily acquired ability, due to the fact that it is entirely on the recognition level and it can facilitate to some extent the acquisition of those higher skills which involve recall, such as speaking and writing.

What is needed, then, is a text simple enough to be read by beginners, one which should concern itself solely with the teaching of the *mechanics of reading* and the acquisition of good reading habits.

We need therefore to analyze the elements which contribute to making a text difficult. We eliminate at the start the difficulty which might arise from the subject matter being too technical, a difficulty which would affect the book whether it were written in the mother tongue or in a foreign tongue. We are then left with the following difficulties which mostly concern vocabulary:

(1) A too extensive vocabulary. If we use a book written by a good author, with its wide vocabulary, frequent use of highly idiomatic expressions, original figures of speech, *etc.*, we shall find the student overwhelmed by such richness and, we fear, quite out of his depth. Moreover, such vocabulary is likely to be made of words of very low frequency and quite useless for the student's probable needs. The vocabulary in a beginner's text should be restricted as much as possible to words of very high frequency. The intake of new words should also be carefully controlled so that the density of new words per running words remains steady and not too heavy, and these new words should be repeated whenever possible.

(2) The difficulty of idiomatic expressions is the main reason for the numerous footnotes at the bottom of pages. Even more than the vocabulary, idiomatic expressions contribute highly to the difficulty of the text and it is doubtful if they are assimilated by the students at an elementary level.

We believe that the idiomatic expressions used in a primer should be chosen among the most current in the language and that they should be repeated often enough to become familiar to the student.

(3) The failure to recognize the verbs under their different tense forms is one of the important factors which contribute to poor reading. Verb forms, especially those of irregular verbs, should be treated as vocables and as such introduced gradually. We believe that a text for beginners should avail itself of the permissible use of the present tense in a French narration. In this manner the student can familiarize himself thoroughly with the present tense of the main irregular verbs before he is confronted with their different forms in other tenses.

(4) Complex sentences, with involved relationships such as an abundance of relative and subordinate clauses, are difficult to grasp in the early stages of reading. They should be avoided in a primer in favor of short, crisp sentences easily understood in their entirety.

It is obvious, from what has been said, that a text chosen from an author of any literary merit will be unsuitable as a primer for learning how to read. Such a text must be *constructed*, with one end in view: to teach the *mechanics of reading* to a beginner and give him the opportunity to read in French with ease, rapidity, and enjoyment. It is to fulfill this need that this book has been written.

Note to the Teacher

This text has been written for the purpose of providing high school and college students who are beginning the study of French with a reader which can be used for *outside reading* almost immediately and independently of the teaching that takes place in the classroom. It is truly a beginner's book, written in basic French with a minimum vocabulary and with simple sentence structures. It starts with a core of about a hundred words (composed chiefly of articles, adjectives, pronouns, prepositions, *etc.*) which are assumed to be known by the student; thereafter, new words are introduced very gradually and repeated as often as the context permits. The book is so designed that the student can read it on his own, thus allowing the instructor to devote his time in the classroom to the teaching and practice of other aspects of the language.

The aim of this reader is to teach the student to read simple French at sight with a fair degree of ease and understanding, very much as he reads English, and thereby to acquire good reading habits. It aims at nothing more than to teach the *mechanics of reading* which at that early stage is an aim sufficient in itself. We have chosen deliberately a purely imaginative story, hoping that it will hold the student's interest and make him *want* to read.

The story is based on the ever popular classic of Alexandre Dumas, *Le Comte de Monte-Cristo.* It has been considerably shortened and carefully edited for a school edition. It is of necessity a very free adaptation or *résumé* of some of the most important episodes; but it is our hope that, the difficulties of the task notwithstanding, the story still remains highly entertaining, and that it will elicit the interest of the student and make reading the stimulating experience it ought to be.

In order to facilitate reading, a supplement for each

chapter has been added at the end of the book. It includes:

(1) a *Vocabulary Section* dealing with the study of idiomatic expressions and words such as synonyms, words with different meanings, and related words;

(2) a *Verb Section* in which a systematic study of irregular verbs is undertaken from the recognition point of view;

(3) a *Comprehension Test.* Since the book is designed to be used for outside reading, a section to test understanding of the material read is essential. Objective tests are provided for the purpose; they are so worded as to provide simultaneously a means of testing the assimilation of the new words introduced in the corresponding chapter. We have purposely given the key for these tests so that the student himself can check his progress in reading.

What are the students supposed to know before they begin their reading?

Naturally we had to assume that a few words were known to the student before we could write anything. Owing to the fact that the material taught during the first French lessons varies widely, we had to be extremely cautious in the choice of these words and we decided to err on the side of conservatism. Needless to say, many words introduced in the first chapters as "new material" will already be known to the students, and we think that the seemingly heavy "vocabulary load" in these chapters will in reality be nothing of the sort; but the advantage of such a policy will be that the book can be used almost anywhere, by anyone.

(1) We started with a core of a little over one hundred words made up as follows:

(a) about 50 items from the 69 items which are not included in the Vander Beke List* count as being of too high frequency;

(b) about 10 words chosen from the first fifty words of that list;

(c) about 50 items (words and idiomatic expressions) which we feel fairly sure are included in all preliminary les-

* *A French Word Book* compiled by George E. Vander Beke. Vol. XV. Publications of the American and Canadian Committees on Modern Languages. The Macmillan Co., 1929.

sons in French. (A complete list of these words and expressions is given in Appendix A.)

(2) We assumed also that the student had had a few rudiments of grammar such as: (a) the distinction between masculine and feminine forms and the formation of the regular plurals; (b) the recognition of the interrogative and negative forms; (c) the endings of the present indicative of regular verbs; (d) the present indicative of the verbs *to be, to have, to go.*

The story is told mostly in the present tense, since its use is permissible in a French narrative, so as to familiarize the students with the indicative of irregular verbs. However, the past indefinite is used from the start, and later the student is introduced to the imperfect tense. The use of the other tenses together with their systematic study is reserved for the second reader *Le Fils du Fauconnier* which, with *Histoire d'une Revanche* forms a basic unit in reading.

The vocabulary used in the text is largely based on words borrowed from the first 1500 words of the Vander Beke List plus a number of basic idiomatic expressions. It is supplemented by cognates which the students are taught to recognize plus about one hundred items consisting of words and expressions of lower frequency which are translated in the text and which the students need not study.

The *vocabulary load*, that is, the number of words, verb forms and idiomatic expressions which the students are asked to learn, consists of about 850 items or roughly one entry per 35 running words of text. Not counted as new material are: (1) regular adverbs from known adjectives; (2) present participles of known verbs used as adjectives; (3) verbs with the prefix **re** when the main verb is known, since their formation and meaning are explained in Vocabulary Notes.

Out of these 850 items about 50 words of lower frequency are included, either because they are repeated often enough in the text, or because they are related to cognates or known words and easy to recognize. On the other hand, especially in the first chapters, a word of high frequency may be translated the first time it is used if its introduction at that time is not deemed advisable and reintroduced later at a more appropriate time.

Note to the Student

This book has been especially constructed so that you, a beginner, can learn to read French by *yourself*. Like the primer in which you learned to read English, the book starts with a handful of words which you are supposed to know.* By introducing gradually a few words at a time and repeating them as often as the text permits, this book teaches you to understand simple sentences in French. When you read, try to read as you do in English; that is, try to understand the *meaning* of the sentence directly from the text, without attempting to translate it. You will find that in so doing you can guess the meanings of many new words; after all, that is the way you learned the meanings of many words in English and enriched your vocabulary. Try to repeat the same process in French. Make an effort to assimilate the meanings of the new words which are introduced in each chapter and given in the margin. In writing the succeeding chapters we take for granted that you know these words. Note that the same word sometimes has different meanings, which explains why it is entered several times in the margin.

The words and expressions which you are supposed to learn have been carefully chosen from among the most useful in the French language and their number is limited to a total of about 850. Naturally, we could not begin to tell a story for adults with such a limited vocabulary were it not for the fact that a great number of French words look very much like English words and are easy to understand. These words are called *cognates*, and *before you begin to read* we earnestly urge you to go over the material dealing with them in Appendix B. The few minutes which you will spend in getting acquainted with these cognates will be minutes well spent indeed.

* For a list of these words see Appendix A.

How to use the material in Appendix C

The material given in Appendix C is not to be considered as a series of "exercises" imposed upon you and to be done grudgingly. It is really intended to help you with your reading. Take for example the section dealing with *verbs*; we try to present them in such a way as to bring order and symmetry out of a confused mass of forms which otherwise would bewilder you. As for the section on *Word Study* you will be surprised how the mere perusal of it will enrich your vocabulary, for a quantity of French words are formed by the mere addition of prefixes and suffixes to a common root.

Finally, you will want to know whether you read well or not. In order to check your progress, you will find a comprehension test for each chapter. These tests are objective and take very little time to answer. Be sure to read the statements carefully, for some of them could be tricky if you read them too fast. Then compare your answers with the key. You should make a perfect or near perfect score every time. If you make many mistakes, it means that you have read too fast or that you have failed to assimilate the new vocabulary of the chapter. There is only one thing to do in that case: read the chapter again. Remember, you are *on your own*; you want to learn how to read French, and the only way to do it is to check your progress, step by step.

Première Partie

Chapitre I

Le *Pharaon*[1]

Aujourd'hui, un des bateaux de monsieur Morel, le *Pharaon*, arrive de Calcutta, et monsieur Morel est très heureux. Un voyage de Marseille à Calcutta est une entreprise hasardeuse: le voyage est long, l'océan dangereux et un grand bateau avec
5 ses marchandises représente une fortune. Naturellement, monsieur Morel est toujours heureux quand un de ses bateaux arrive à bon port (safely).

Monsieur Morel est un riche armateur (ship owner) de Marseille. Il est en relations commerciales avec les ports
10 d'Alger, d'Alexandrie, de Calcutta et de Bombay et ses bateaux vont en Algérie, en Égypte et en Asie. Ce commerce est très lucratif et monsieur Morel a amassé une fortune considérable dans son commerce avec l'Orient.

L'arrivée d'un grand bateau est toujours un spectacle
15 intéressant et quand monsieur Morel arrive au port, il y a déjà un grand nombre de spectateurs sur les quais et sur les esplanades. Sur le quai Saint-Jean, réservé au *Pharaon*, une jeune fille d'une grande beauté parle avec animation à un de ses compagnons, un jeune homme morose et taciturne qui ne lui

aujourd'hui
today
bateaux
boats
heureux
happy

l'arrivée
the arrival
déjà
already

une jeune fille
a young girl

un jeune homme
a young man
ne . . . que
only

[1] We earnestly urge the student to read "Note to the Student" (pp. xi–xii) and the material provided in Appendix B, before attempting to read this story.

3

répond que par monosyllabes. Vexée, elle s'adresse à son autre compagnon :

de quel côté
which way

— Monsieur Dantès, lui dit-elle, de quel côté le *Pharaon* arrive-t-il ?

de ce côté-là
that way

— De ce côté-là, répond monsieur Dantès en indiquant un promontoire. Il va doubler (pass) le cap de Morgion et nous allons l'apercevoir dans un instant à la pointe du promontoire.

apercevoir
to see

Monsieur Morel, qui arrive en ce moment sur le quai Saint-Jean, aperçoit monsieur Dantès ; il s'approche de lui et de ses compagnons :

aperçoit
sees

— Bonjour, monsieur Dantès, lui dit-il cordialement ; je suis sûr que vous êtes, comme moi, très heureux aujourd'hui.

que
that
longue
long
revoir
to see again
fils
son
regarde
looks at

— Oui, monsieur ; après cette longue absence, je suis impatient de revoir mon fils. Permettez-moi (permit me) de vous présenter Mercédès Mondego, la fiancée de mon fils, et Fernand Mondego, son cousin.

Monsieur Morel regarde la jeune fille avec intérêt :

— Ah ! dit-il, est-ce que le mariage est décidé ?

— Oui monsieur, nous n'attendons plus que[2] le fiancé.

A ce moment, les cris et les exclamations des spectateurs annoncent que le *Pharaon* a doublé (has passed) le promontoire et qu'il entre dans le port.

entre
enters
à côté du
near the

Le bateau s'approche... à côté du pilote, au poste généralement réservé au capitaine, un jeune officier donne, avec une tranquille assurance, des ordres qui sont exécutés promptement et avec précision. Monsieur Morel regarde le jeune homme avec surprise et dit à ses compagnons d'un air perplexe :

dirige
directs

— Mais c'est Edmond qui dirige la manœuvre ! Où est donc[3] le capitaine Leclerc ?

il monte sur
he goes aboard

Très anxieux, il monte immédiatement sur le bateau et s'approche du jeune officier :

pourquoi
why

— Bonjour Dantès, dit-il ; où est donc le capitaine Leclerc ? Pourquoi n'est-il pas à son poste ?

mort
dead

— Ah ! monsieur, répond Dantès d'un air de profond regret, le capitaine est mort.

[2] **nous n'attendons plus que**   we are only waiting now for
[3] **où est donc**   where in the world is ; where is (**Donc** is often used for emphasis, and in that case can be omitted in English.)

Monsieur Morel le regarde avec consternation:

— Mort! dit-il, quel dommage! (what a pity) Et c'est vous qui l'avez remplacé?

— Oui monsieur; c'est le capitaine lui-même qui m'a
5 demandé de le remplacer.

— Ah?... Et Danglars... il n'a pas protesté?

Dantès répond après un moment d'hésitation:

— Non, monsieur ... il a accepté la décision du capitaine ... comme les autres. Mais le voici: il va vous fournir tous les
10 détails du voyage. Excusez-moi, j'ai des ordres à donner.

Danglars s'approche de M. Morel. C'est un individu à la physionomie sombre et morose. Très ambitieux, il désire être un jour capitaine du *Pharaon* et il est très jaloux de Dantès qui a assumé la responsabilité du bateau après la mort du capitaine
15 Leclerc.

— Bonjour Danglars, dit M. Morel; je regrette beaucoup la mort du capitaine Leclerc, un si bon capitaine! Mais, ajoute-t-il avec enthousiasme, Dantès l'a remplacé admirablement. C'est un excellent officier et son aptitude pour le commande-
20 ment est remarquable. J'ai l'intention de lui donner la place du capitaine Leclerc.

Une expression de haine passe sur le visage de Danglars. Il s'approche de M. Morel et murmure:

— Monsieur Morel, ne faites pas cela; ce n'est pas prudent.
25 — Pourquoi n'est-ce pas prudent?

— Parce que Dantès est un agent bonapartiste.

M. Morel regarde Danglars avec stupéfaction:

— Un agent bonapartiste? En êtes-vous sûr?

— J'en suis certain. Edmond Dantès a en sa possession une
30 lettre de Napoléon.[4] Un marin lui a donné secrètement cette lettre à l'île d'Elbe. Cette lettre est sûrement pour un conspirateur de Marseille et si on[5] sait que Dantès a cette lettre il risque d'être arrêté et vous allez être compromis dans cette affaire.

remplacé
replaced
lui-même
himself

la mort
the death

un si bon
such a good
ajoute
adds

haine
hatred

ne faites pas cela
do not do that

parce que
because

en
of it

un marin
a sailor
l'île
the island
si on sait
if it is found out

[4] The story begins in 1815 when Napoleon I was in exile on the island of Elba. He had left many partisans in France who conspired for his return.

[5] The pronoun **on**, frequently used in French, is often expressed in English by *one*, *people*, *they*, or by the passive voice: **on dit** ... it is said.

M. Morel est consterné (dismayed). Il appelle Dantès:

— Edmond, lui dit-il, Danglars me dit que vous avez une lettre de l'empereur pour un agent bonapartiste de Marseille. Est-ce vrai?

Dantès, déconcerté par l'accusation de Danglars, le regarde 5 un moment en silence. Il sait que Danglars le déteste et que c'est pour l'embarrasser qu'il a révélé l'existence de la lettre à M. Morel. Finalement, il répond d'un air irrité:

— J'ai une lettre, il est vrai, mais je ne sais pas pourquoi Danglars s'imagine que c'est une lettre de l'empereur. C'est 10 un marin qui me l'a donnée et il m'a assuré que c'était (that it was) une lettre personnelle.

— Même si c'est une lettre personnelle, dit sévèrement M. Morel, vous êtes très imprudent. Les communications avec l'île d'Elbe sont interdites (forbidden) en ce moment, et si on 15 sait que vous avez cette lettre, vous risquez d'aller en prison.

— Mais monsieur, proteste Dantès, personne ne sait que j'ai cette lettre . . . personne . . . excepté Danglars . . . sûrement, il ne va pas dénoncer un camarade!

Danglars ne répond rien . . . mais il regarde Dantès avec 20 un mauvais sourire.

Quand les formalités nécessaires sont terminées sur le bateau, les trois hommes descendent sur le quai. Dantès s'approche de son père et de sa fiancée qui l'attendent avec impatience et dit joyeusement: 25

— Bonjour mon père! Bonjour Mercédès!

— Edmond, mon cher enfant, dit M. Dantès en embrassant son fils avec affection.

Edmond sourit à sa fiancée qui tremble d'émotion:

— Mercédès . . . ma chère Mercédès, murmure-t-il en 30 l'embrassant tendrement.

Fernand regarde les fiancés d'un air sombre. Il est pâle et visiblement jaloux. Danglars remarque son expression:

— Ah! murmure-t-il, Fernand est jaloux de Dantès; il aime sa belle cousine et il est évident qu'il déteste son rival . . . Tiens, tiens! 35 (well, well) . . . cela me donne une idée, une excellente idée. . . .

Et il regarde Dantès avec son mauvais sourire.

---

vrai
true

il sait
he knows
pour
in order to

même
even

personne . . . ne
no one

ne . . . rien
nothing
un mauvais sourire
a malicious smile

descendent
come down
père
father
attendent
are waiting
cher
dear
embrassant
kissing
sourit
smiles

il aime
he loves
cela
that
une idée
an idea

Chapitre II

La dénonciation

Danglars va voir Fernand dans sa petite maison de la rue Meilhan. Quand il arrive, il trouve Fernand sombre et préoccupé. Danglars observe avec intérêt son visage pâle et son air tourmenté.

5 — Bonjour Fernand, dit-il en affectant un air jovial; je viens de rencontrer[1] Edmond et sa fiancée . . . ces chers enfants, ajoute-t-il avec un sourire hypocrite, ils ont l'air si heureux! ah! je les envie. . . .

Une expression de haine passe sur le visage de Fernand, 10 mais il ne dit rien. Danglars continue:

— Vous n'avez pas l'air joyeux aujourd'hui, mon ami; pourquoi cela?

Fernand répond d'un air sombre:

— J'aime Mercédès, mais elle ne m'aime pas; elle me pré-15 fère Dantès, et moi, dit-il avec un geste de fureur (fury), je le déteste!

Danglars voit ce geste de rage avec satisfaction; il s'approche de Fernand et murmure:

voir
to see
rue
street
il trouve
he finds

ils ont l'air
they seem

ami
friend

voit
sees

---

[1] **je viens de rencontrer** I have just met. Note that **venir de** plus the *infinitive* is expressed in English by *to have just* plus the *past participle.*

7

— Edmond Dantès a une lettre . . . une lettre très dangereuse . . . c'est une lettre de Napoléon pour ses amis de France.
Si on sait qu'il a cette lettre, il risque d'aller en prison. . . .

aussi bien que
as well as

La prison, ajoute-t-il négligemment, sépare aussi bien que
la mort. . . .

toujours
still

Fernand ne répond toujours rien.

— Personne, continue Danglars de son air insinuant, personne ne sait que Dantès a cette lettre, excepté moi . . . mais je

dire
to say
après tout
after all
il comprend
he understands
ce que
what
alors
then

ne vais rien dire; après tout, Dantès est mon ami. . . .

Fernand est très pâle; il comprend ce que Danglars lui propose: dénoncer Dantès! Mais il hésite devant cette perfidie . . .

Alors Danglars lui demande avec un sourire ironique:

— Vous êtes invité au mariage? Naturellement c'est vous
qui allez donner Mercédès en mariage? elle n'a pas de père et
vous êtes son cousin. . . .

A l'idée de ce mariage Fernand tremble de haine et de
jalousie, mais il hésite encore . . . Danglars, qui l'observe

encore
still
suit
follows

furtivement, suit avec intérêt les mouvements de la passion
sur son visage expressif. Il attend en silence. . . .

s'écrie
cries out

Finalement Fernand s'écrie avec violence:

— Du papier! de l'encre! je vais dénoncer Dantès à la
police; je ne suis pas son ami, moi, je suis son rival, et je vais le
séparer de Mercédès pour toujours (forever).

écrit
writes

Danglars lui donne du papier et une plume et Fernand écrit:

procureur du roi
king's attorney

« A Monsieur le Procureur du Roi:

Monsieur:

Edmond Dantès, officier sur le bateau le *Pharaon*,
est un agent bonapartiste, un conspirateur dangereux. Il a en sa possession une lettre de l'empereur
Napoléon pour un membre du comité bonapartiste
de Marseille.

Fernand Mondego »

Danglars regarde avec satisfaction la lettre qui va causer la
ruine de son ennemi.

encore
yet

— Edmond Dantès, murmure-t-il, n'est pas encore capitaine du *Pharaon*.

Le jour du mariage de Dantès et de Mercédès, les parents et amis des fiancés vont au café de « La Réserve » où ils sont invités à un beau dîner avant la cérémonie du mariage. Mercédès est charmante dans sa belle robe blanche, et Dantès
5 est très élégant dans son uniforme d'officier de marine.

Les fiancés sont le centre de l'attention générale; heureux et souriants, ils répondent aux compliments qui leur sont adressés. Fernand les regarde d'un air morose; il est très pâle et agité. De temps en temps il va à la porte et regarde furtive-
10 ment dans la rue, mais personne, excepté Danglars, ne remarque son agitation. Enfin Fernand aperçoit une petite troupe qui s'avance vers le café: c'est la police. Quand ils arrivent devant la porte, un des agents de police entre dans le café et demande:

15 — Edmond Dantès! Où est Edmond Dantès?

Edmond s'avance vers l'agent et lui dit:

— C'est moi, monsieur.

— Edmond Dantès, dit l'agent, au nom du roi (in the name of the king) je vous arrête.

20 — Vous m'arrêtez? s'écrie Dantès, et pourquoi?

— Vous êtes accusé d'être un agent bonapartiste; suivez-moi.

Très pâle, Dantès s'avance vers Danglars et lui dit avec indignation:

25 — Est-ce vous, Danglars, qui m'avez dénoncé à la police?

— Non, non, répond Danglars, ce n'est pas moi.

Edmond hésite un moment puis il dit à l'agent:

— Monsieur, je vous assure que je ne suis pas un conspirateur, mais la victime d'une accusation odieuse.

30 Indifférent, l'agent répond:

— Monsieur, j'ai l'ordre de vous arrêter et de vous conduire devant le procureur du roi, c'est tout. Le reste n'est pas mon affaire. Suivez-moi.

M. Morel s'approche d'Edmond:

35 — Mon ami, lui dit-il, ne résistez pas à l'agent de police; il exécute simplement ses ordres. Il va vous conduire devant le procureur du roi à qui vous allez expliquer la situation. Allez, mon ami.

les parents
the relatives

robe blanche
white dress

souriants
smiling

de temps en temps
from time to time

enfin
finally
s'avance vers
is coming toward
agents de police
policemen

suivez-moi
follow me

puis
then

conduire devant
to bring before

à qui
to whom
expliquer
to explain

Edmond dit adieu à son père et à sa fiancée:

— Courage, mon père! courage, Mercédès! je suis sûr de ne pas aller en prison; je vais expliquer au procureur que je suis la victime d'un acte de vengeance et de jalousie.

Il regarde fixement Danglars qui sourit d'un air secrètement ⁵ triomphant, puis il suit l'agent de police.

Chapitre III

Le procureur du roi

Le procureur du roi s'appelle monsieur de Villefort. En réalité, il s'appelle monsieur Noirtier de Villefort, mais il a abandonné le nom de Noirtier à cause de son père. Monsieur Noirtier, père (Sr.) est un bonapartiste ardent, un ennemi du
5 roi Louis XVIII; son fils, au contraire, est un fervent royaliste; c'est aussi un homme ambitieux qui désire la faveur du roi. Il ne dit à personne que M. Noirtier est son père; il ne le voit jamais, il ne lui écrit jamais. Les deux hommes se détestent à cause de leurs opinions politiques.

10 M. de Villefort est fiancé à mademoiselle de Saint-Méran, une jeune fille de famille très noble. Les parents de la jeune fille sont très royalistes et ils ont accepté M. de Villefort parce que lui aussi est un fervent royaliste, un ennemi de «l'usurpateur.»[1] Ce mariage représente la fortune pour M. de Villefort:
15 non seulement la famille est très riche, mais le marquis de Saint-Méran a aussi beaucoup d'influence auprès du roi. L'ambition de M. de Villefort est d'être un jour procureur du roi à Paris et il voit dans ce mariage le moyen de réaliser sa secrète ambition.

20 Lorsque la lettre de Fernand lui est parvenue (reached him) le procureur a donné immédiatement l'ordre d'arrêter

[1] **l'usurpateur** the usurper (that is, Napoleon)

s'appelle
is called

le nom
the name
à cause de
on account of
roi
king
au contraire
on the contrary
jamais
never

famille
family

non seulement
not only
auprès de
with
le moyen
the means

lorsque
when

Edmond Dantès. En ce moment, de vagues rumeurs circulent dans Marseille. On dit que l'empereur a l'intention de rentrer en France . . . on parle d'une conspiration organisée par ses partisans pour préparer la restauration de l'empire. Ces rumeurs ont causé beaucoup d'anxiété au roi qui a donné 5 l'ordre d'arrêter toutes les personnes suspectes et a interdit (forbidden) toute communication avec l'île d'Elbe.

L'accusation contre Dantès est si précise et si sérieuse que M. de Villefort a décidé de le questionner lui-même. Si vraiment Dantès a en sa possession une lettre qui prouve l'existence 10 d'une conspiration bonapartiste, le procureur, en arrêtant les conspirateurs, va sauver le gouvernement et son roi. Quel triomphe! Il s'imagine être déjà devant le roi, recevant, avec ses félicitations, les marques de sa gratitude royale.

Lorsque Dantès arrive, M. de Villefort lui dit, en lui 15 montrant la lettre de Fernand:

— Edmond Dantès, vous êtes accusé dans cette lettre d'être un agent bonapartiste et d'avoir en votre possession une lettre de l'empereur.

Edmond examine la lettre que M. de Villefort lui montre. 20 Il est très surpris lorsqu'il voit la signature: Fernand Mondego. Qui a dit à Fernand que Dantès avait (had) cette lettre? et soudain il comprend: c'est Danglars qui a révélé l'existence de cette lettre à Fernand pour que celui-ci, dans sa jalousie, le dénonce à la police! Quelle duplicité de la part de Danglars! 25

— Eh bien! monsieur, dit M. de Villefort, qu'avez-vous à répondre à cette accusation?

— Monsieur le procureur, répond Dantès, je suis évidemment la victime d'un acte de jalousie; je vous assure que je ne suis pas conspirateur. 30

— Mais vous avez en votre possession une lettre de Napoléon?

— J'ai une lettre, il est vrai, mais je ne sais pas si c'est une lettre de l'empereur. C'est un marin qui me l'a donnée à l'île d'Elbe. 35

— A qui cette lettre est-elle adressée?

— Je ne sais pas, monsieur, il n'y a pas d'adresse.

— Pas d'adresse! mais alors, à qui allez-vous la donner?

rentrer
to come back

toute
any

contre
against

sauver
to save
quel
what a
recevant
receiving

que
which

soudain
suddenly
pour que
so that
celui-ci
the latter
eh bien!
well

— Je dois aller aujourd'hui au café de «La Rotonde.» Un **je dois** + *inf.*
homme doit me donner un mot de passe (password). I am to + *inf.*

— Quel mot? **quel mot?**
what word?
— Ile d'Elbe.

5 — Ile d'Elbe! là où (where) l'empereur est en exil! un mot
de passe . . . pas d'adresse sur l'enveloppe . . . toutes ces précautions ne vous ont donc pas donné de soupçons (suspicions)?

— Vous allez dire, monsieur le procureur, que je suis bien **bien**
stupide, mais la politique n'est pas mon affaire; le marin m'a very
10 dit que la lettre contenait (contained) des papiers de famille
très importants et j'ai simplement accepté son explication. **explication**
explanation
— Et qu'allez-vous répondre à la personne qui doit vous
donner le mot de passe?

— Je dois lui répondre «Noirtier.»

15 En entendant ce nom odieux de Noirtier, M. de Villefort **en entendant**
devient excessivement pâle. Ainsi (so) son père est en com- on hearing
devient
munication avec l'île d'Elbe et lui, son fils, va être obligé de becomes
donner l'ordre de l'arrêter comme suspect! Quel scandale dans **comme**
la ville quand on va savoir que le père du procureur du roi as a
on va savoir
20 est compromis dans une conspiration bonapartiste! M. de they find out
Saint-Méran va sûrement refuser de donner sa fille en mariage
au fils d'un conspirateur et lui-même, Villefort, va devenir **devenir**
suspect. C'est le déshonneur de son nom et la ruine de ses to become
ambitions personnelles.

25 Dantès regarde M. de Villefort, surpris de son agitation. Le
mot de Noirtier semble lui avoir causé une émotion extra- **semble**
ordinaire et il est pâle comme la mort. . . . seems

Le procureur s'aperçoit que Dantès l'observe avec curiosité. **s'aperçoit**
Par un violent effort, il redevient calme et impassible. Il notices
30 regarde attentivement Dantès et lui demande avec une indifférence affectée:

— Que veut dire ce mot[2] «Noirtier»?

— Je ne sais pas, monsieur, répond Dantès avec simplicité.

M. de Villefort est maintenant très calme; il est évident que
35 Dantès ne sait rien. Il répond à toutes les questions avec
sincérité et le procureur est sûr de son innocence.

Après un moment de silence, il demande à Edmond:

[2] **que veut dire ce mot** what is the meaning of this word

— Cette lettre, où est-elle?

— La voici, monsieur.

M. de Villefort examine l'enveloppe; il n'y a pas d'adresse.
Il ouvre la lettre et cette fois il devient livide; la lettre est
adressée à «Mon cher monsieur Noirtier» et signée: «Napo-   5
léon»!

Cette lettre donne les détails précis d'une vaste conspiration
pour la restauration de l'empire, et son père est l'agent principal
de cette conspiration!

M. de Villefort prend soudain une résolution; personne ne   10
doit voir cette lettre et Dantès, qui est sans le savoir en possession d'un secret si dangereux pour le procureur, ne doit pas
parler. Il prend une feuille de papier, écrit un ordre, appelle
un agent de police et dit en lui donnant la feuille:

— Voici mes ordres; suivez-les exactement.   15

L'agent lit ce que le procureur vient d'écrire:

« Conduisez le prisonnier immédiatement au
Château d'If. Il ne doit voir personne, ne doit
parler à personne. C'est un ennemi du gouvernement, un conspirateur très dangereux.   20

Villefort »

L'agent de police s'approche de Dantès et lui dit:

— Suivez-moi, monsieur.

— Où me conduisez-vous? demande Dantès.

L'agent répète simplement: 25

— Suivez-moi.

Dantès s'approche de M. de Villefort.

— Monsieur le procureur, dit-il très anxieux, est-ce qu'on va
me mettre en prison?

M. de Villefort, impassible, le regarde sans répondre.   30

— Allons! répète l'agent impatient, suivez-moi.

Et il emmène Dantès.

Très pâle, le procureur regarde l'agent emmener le malheureux jeune homme. Pour sauver son nom, sa réputation, sa
fortune, il vient de condamner un innocent à la prison per-   35
pétuelle (life imprisonment).

---

il ouvre he opens
cette fois this time

prend takes
doit must
sans savoir without knowing
une feuille a sheet

lit reads
vient d'écrire has just written
conduisez take

mettre to put
sans répondre without answering
allons! come!
emmène takes away
malheureux unfortunate

Chapitre IV

Le Château d'If

Dantès et l'agent de police passent dans une antichambre. L'agent fait un signe, et quatre gardes arrivent immédiatement. Ils accompagnent Dantès dans une petite salle et on lui dit d'attendre là.

5 Dantès attend, très perplexe; l'ordre secret que le procureur a donné à l'agent de police l'inquiète vaguement et il se demande ce qu'on va faire de lui.

Enfin l'agent arrive et Dantès, toujours escorté de ses gardes, traverse un long corridor qui conduit à une petite
10 porte. L'agent l'ouvre avec précaution et regarde dans la rue; c'est une petite rue tranquille et déserte. Il fait nuit et dans l'obscurité personne ne peut voir le prisonnier. Dantès est profondément troublé et se demande pourquoi on prend toutes ces précautions. . . .

15 La petite troupe s'avance en silence vers le port. Un petit bateau est là, qui semble les attendre. A la grande surprise de Dantès, le bateau se dirige vers l'île d'If.

— Le château d'If! murmure-t-il avec inquiétude. Il sait que le château d'If est une forteresse redoutable que le
20 gouvernement a transformée en prison. Mais dans cette forteresse, il n'y a ni juges, ni magistrats, seulement un gouverneur et des gardes. Est-ce qu'on va l'incarcérer sans jugement? Impossible!

fait
makes

là
there

inquiète
worries
il se demande
he wonders
faire
to do
conduit
leads
il fait nuit
it is night
peut
can

se dirige vers
goes toward

ni . . . ni
neither . . . nor
seulement
only

maintenant
now

Le bateau s'approche de l'île; dans la nuit, la masse sombre du château d'If semble plus formidable encore et l'inquiétude de Dantès se change maintenant en véritable terreur. Les gardes descendent du bateau avec leur prisonnier et se dirigent vers la prison. La porte s'ouvre et on conduit Dantès devant le gouverneur. L'agent montre à celui-ci l'ordre de M. de Villefort. Le gouverneur le lit, regarde Dantès avec curiosité et fait un signe : les gardes sortent et le gouverneur reste seul avec Dantès :

sortent
leave
reste seul
remains alone

— Votre nom? demande-t-il.

— Edmond Dantès.

— Votre âge?

— Dix-neuf ans (19 years old).

— Votre profession?

— Marin.

— Votre adresse?

— 26, rue Meilhan.

Le gouverneur écrit tout cela sur une feuille de papier, puis il appelle un garde :

cachot
cell

— Conduisez ce prisonnier au cachot n° 34, dit-il.

Dantès regarde le gouverneur avec stupéfaction :

on ne met pas
you do not put

— Monsieur, dit-il, il doit y avoir (there must be) une erreur ; sûrement on ne met pas les accusés en prison sans jugement?

Le gouverneur le regarde un moment, le visage impassible, puis il dit :

— Monsieur, vous êtes accusé d'être un conspirateur dangereux, un ennemi du gouvernement, et pour ces crimes il n'y a pas de jugement public.

— Mais monsieur, je suis innocent.

— Ce n'est pas l'opinion du procureur du roi qui vous représente comme un criminel dangereux.

Dantès proteste, mais le gouverneur, impatient, fait un signe. Deux gardes emmènent le malheureux Dantès et on l'enferme dans un cachot.

on l'enferme
they lock him up

première
first

La première nuit dans ce cachot est terrible. Dans un violent accès de fureur (fit of fury), Dantès crie, menace, implore, mais personne ne semble entendre ses cris et ses menaces. La porte de son cachot est comme la porte d'une tombe.

Après une nuit qui semble interminable au malheureux Edmond, la porte s'ouvre et un garde entre avec la soupe du prisonnier. Pâle et hagard, Dantès lui dit:

— Je veux voir le gouverneur.

— Monsieur, les prisonniers ne parlent pas au gouverneur.

— Mais, s'écrie Dantès, je ne veux pas rester enfermé dans ce cachot; je vous dis que je suis innocent, entendez-vous?

Le garde, indifférent, ne répond rien.

Devant cette indifférence qui lui semble monstrueuse, Dantès s'approche du garde, furieux:

— Je veux voir le gouverneur, répète-t-il, exaspéré. Je suis innocent; je veux sortir de ce cachot. Je veux des juges, des magistrats, je demande justice! je suis innocent . . . innocent. . . .

Alarmé par cette violence, le garde lui dit:

— Pourquoi n'écrivez-vous pas une lettre au gouverneur? Je peux vous donner une plume et du papier.

Cette idée semble calmer le prisonnier; il écrit une longue lettre au gouverneur pour protester de son innocence et demander justice. Le garde prend la lettre, mais il ne la donne pas au gouverneur; il sait fort bien (very well) que le gouverneur ne lit jamais les lettres que les prisonniers lui écrivent.

Dantès attend avec impatience la réponse du gouverneur; mais les jours succèdent aux jours et la réponse ne vient pas. Dantès comprend alors qu'il doit abandonner tout espoir de sortir de prison.

Alors il redevient violent et furieux; toute la journée, il tourne dans son cachot comme un animal en cage. Il crie, il menace, il blasphème horriblement. Le garde entend ces imprécations et ces blasphèmes avec le plus grand calme: tous les prisonniers sont ainsi durant la première période de leur captivité.

Enfin, après de longs jours de violence et de désespoir, Dantès se calme et tombe dans une profonde apathie. Sombre et préoccupé, il reste à la même place, sans mouvement,

---

je veux
I want

sortir
to get out

n'écrivez-vous pas
don't you write
je peux
I can

la réponse
the answer
ne vient pas
does not come
tout espoir
all hope
toute la journée
the whole day long
il tourne
he turns
le plus grand
the greatest
ainsi
thus
désespoir
despair
tombe
falls
même
same

comme absorbé en lui-même. Lorsque le garde entre avec son dîner, Dantès le regarde sans le voir, indifférent. Il ne lui parle pas, ne touche pas à la soupe que l'on met devant lui.

méchant
ill-natured

Le garde qui n'est pas un méchant homme lui dit:

mangez
eat

— Allons! mangez donc votre soupe ou vous allez mourir ₅ de faim (die of hunger).

mourir
to die

— Mourir! murmure Dantès, c'est tout l'espoir qui me reste.

— Ne parlez pas ainsi, dit le garde; qui sait? il est possible

accorde
grant

qu'un jour on vous accorde un pardon.

Cette idée de pardon semble galvaniser Dantès. Pourquoi ₁₀

jamais pensé
never thought

n'y a-t-il jamais pensé? Après tout, il a des amis. . . . M. Morel va certainement s'inquiéter de sa disparition . . . il est riche, il a de l'influence auprès des autorités. . . . Il peut demander une investigation, prouver que Dantès est en prison sans jugement; dans ces circonstances, il est très possible qu'on ₁₅ lui accorde un pardon. . . .

si jamais
if ever
je sors
I get out

— Ah! s'écrie-t-il, si jamais je sors de prison!

Il pense alors à la terrible vengeance qu'il réserve à ses ennemis, à ces trois hommes qui sont la cause de sa ruine et

malheur
misfortune
vivre
to live

de son malheur. Ce désir de vengeance semble lui redonner ₂₀ du courage. Il ne veut plus mourir; il veut vivre, vivre pour le jour de la revanche (revenge).

Chapitre V

L'abbé Faria

Six ans se passent; six longues années qui semblent une éternité à Dantès. Dans l'obscurité de son cachot il ne peut rien faire. Homme simple et sans éducation, il n'a pas les ressources d'une riche imagination, la seule source de distrac-
5 tions possible dans la solitude de sa prison. Il passe son temps à méditer ses projets de vengeance. Son visage est maintenant un masque de granit qui ne montre rien des terribles passions qui agitent son cœur. Sa vengeance est devenue une idée fixe; il vit avec elle jour et nuit; elle le tourmente, elle le torture,
10 mais elle lui donne aussi le courage de vivre.

Une nuit, il entend un bruit sourd (muffled) derrière le mur de son cachot; le bruit devient plus distinct, semble se rap-procher. . . . Qui fait ce bruit? un garde? un prisonnier? Edmond frappe contre le mur . . . on n'entend plus rien. Ce
15 doit être un prisonnier: il s'est arrêté en entendant frapper. Dantès frappe alors une fois, deux fois, trois fois . . . il attend; on frappe une fois, deux fois, trois fois . . . on a répété son signal! C'est un prisonnier qui répond! Dantès écoute, paralysé par l'émotion . . . le bruit continue
20 maintenant à intervalles réguliers. . . .

ans, années
years

la seule
the only
il passe
he spends

cœur
heart
est devenue
has become
il vit
he lives
un bruit
a noise
le mur
the wall
frappe
knocks
s'est arrêté
has stopped

une fois, deux fois
once, twice

écoute
listens

19

Edmond Dantès est en prison depuis six ans.[1] Il a passé toutes ces années dans une solitude absolue, sans jamais voir un visage ami, sans communiquer avec personne. On comprend **donc** sa joie à l'idée qu'un prisonnier, un ami, est là, de l'autre **côté** du mur.

Il frappe **de nouveau** et appelle:

— Qui est là? Parlez! Qui êtes-vous?

On lui répond:

— Un malheureux prisonnier. Et vous, qui êtes-vous?

— Un prisonnier comme vous.

— Quel est votre nom?

— Edmond Dantès.

— Votre nationalité?

— Français.

— Depuis quand êtes-vous[2] en prison?

— Depuis 1815.

— Quel est votre crime?

— Je suis innocent.

— Mais de quoi vous accuse-t-on?

— D'avoir conspiré contre le roi . . . d'être un agent bonapartiste.

— Un agent bonapartiste! Napoléon n'est **donc** plus empereur de France?

— Non, Napoléon est maintenant en exil à l'île d'Elbe et Louis XVIII est roi de France. Mais **vous-même**, depuis quand êtes-vous en prison?

— Depuis 1811.

— Quel est votre nom?

— L'abbé Faria.

— De quoi êtes-vous accusé?

— D'avoir conspiré contre Napoléon.

Après un moment de silence, l'abbé Faria continue:

— Attendez; nous ne sommes plus séparés que par **une grosse pierre**. Je vais l'**enlever** et nous allons **nous** voir.

L'abbé enlève la pierre et pénètre dans le cachot de Dantès.

---

[1] **Dantès est en prison depuis six ans.** Dantès has been in jail for six years.

[2] **Depuis quand êtes-vous** how long have you been

donc
therefore
côté
side
de nouveau
again

depuis
since

de quoi
of what

donc
then

vous-même
yourself

une grosse pierre
a big stone
enlever
to remove
nous
each other

Edmond est si heureux qu'il embrasse le prisonnier comme un
père et pleure de joie en le regardant. Celui-ci, surpris de le
voir si jeune, le regarde avec compassion.

pleure
weeps

L'abbé Faria est un vieillard vénérable. Sur son visage
5 grave et sévère on peut voir les marques des souffrances
(sufferings) et des privations qu'il a endurées pendant les
longues années de sa captivité. Il sourit à Edmond et lui dit:

un vieillard
an old man

pendant
during

— Racontez-moi votre histoire.

— Mon histoire est très simple, répond Dantès. Je suis en
10 prison à cause de trois hommes qui m'ont persécuté. Je suis la
victime de leurs machinations. Un homme a révélé l'existence
d'une lettre pour prendre ma place de capitaine; l'autre m'a
dénoncé pour me prendre ma fiancée; et le procureur du roi,
pour une raison que j'ignore, m'a condamné sans jugement.
15 On m'a arrêté le jour même de mon mariage; depuis, je ne
sais rien. J'ai un père, un vieillard comme vous, dit-il en
souriant avec affection à l'abbé Faria; je suis sûr qu'il m'attend
toujours. J'avais une belle fiancée . . . m'attend-elle encore,
elle aussi? je l'ignore. Je ne sais pas depuis combien d'années
20 je suis en prison mais il me semble que j'y suis depuis une
éternité.

racontez-moi
tell me
histoire
story

prendre
to take

j'ignore
I do not know
le jour même
the very day
depuis
since then
j'avais
I had
combien de
how many
y
there
que faites-vous
what do you do

— Et que faites-vous pour passer le temps? lui demande
l'abbé.

— Rien.

25 — Le temps semble long quand on ne fait rien.

— Oh! dit Dantès, je passe mon temps à penser.

— Et à quoi pensez-vous? dit le vieillard en souriant.

— A la vengeance, répond Dantès d'un air sombre.

L'abbé ne sourit plus; un moment il regarde Dantès d'un
30 air grave, puis il dit:

— Venez avec moi dans mon cachot; je vais vous conduire.

venez
come

L'abbé passe le premier dans le passage qui conduit à son
cachot.

— C'est vous qui avez creusé ce passage? s'écrie Dantès
35 émerveillé (amazed). Depuis quand y travaillez-vous?[3]

creusé
dug
travailler
to work

— Depuis cinq ans.

[3] **Depuis quand y travaillez-vous?** How long have you been
working at it?

— Mais avec quoi avez-vous creusé?

— Avec cela, répond l'abbé Faria.

Et il montre à Dantès un instrument très ingénieux.

— Qui vous a donné cet instrument?

moi-même
myself
lit
bed

— Personne. Je l'ai fait moi-même avec une des barres de 5
fer (iron bars) de mon lit.

— Quelle ingéniosité! s'écrie Dantès et quelle patience
admirable!

choses
things
sous
under

— Oh! dit l'abbé, j'ai fait beaucoup d'autres choses. Elles
sont sous mon lit. Regardez! 10

L'abbé enlève une pierre et dit:

étudié
studied

— Voici du papier, de l'encre, des plumes, et même de la
chandelle (candle). J'ai étudié la chimie (chemistry), ajoute-t-
il en souriant, et à l'aide de cette science on peut faire beaucoup
de choses. 15

Dantès le regarde avec admiration.

vie
life

— Toute ma vie, continue Faria, j'ai beaucoup travaillé et
beaucoup étudié. Je sais l'anglais, le français, l'italien, et le
latin. J'ai aussi étudié les sciences, la littérature et la philosophie. 20

lire et écrire
to read and write
voulez-vous
do you want
apprendre
to learn

— Et moi, dit Dantès, je ne sais rien. Je suis un simple
marin sans éducation; je sais lire et écrire et c'est tout.

— Eh bien! propose l'abbé, voulez-vous apprendre ce que
je sais? Voulez-vous être mon élève?

— Si je le veux! s'écrie Dantès avec joie; oh! oui, de tout 25
mon cœur. Je veux apprendre tout ce que vous savez.

Le bon abbé sourit de l'enthousiasme de Dantès:

tout
everything

— Tout, dit-il, c'est beaucoup, mais le temps passe rapidement lorsqu'on travaille. Écoutez; voici ce que nous allons

dormir
to sleep
pendant que
while

faire: pendant le jour nous allons dormir, et la nuit pendant 30
que les gardes dorment vous viendrez (you will come) dans
mon cachot étudier avec moi.

— Oh! merci, monsieur l'abbé, dit Dantès.

Et tout joyeux (overjoyed) il rentre dans son cachot. Il
remet la pierre en place, met son lit devant, et quand le 35
garde entre avec sa soupe, Dantès est sur son lit et semble
dormir.

tiens!
well!

— Tiens! dit le garde, vous avez changé votre lit de place?

— Oui, dit Dantès, je le préfère contre ce mur; il me semble que j'ai plus d'air.

Le garde accepte son explication d'un air indifférent et se retire sans faire d'objections, à la grande satisfaction de Dantès.

Chapitre VI

Le secret de l'abbé Faria

toutes les nuits
every night

Toutes les nuits, Dantès va régulièrement dans le cachot de l'abbé Faria étudier avec lui. Très attentif et très intelligent, il fait des progrès rapides. Il veut tout étudier: les langues (languages), les sciences, les mathématiques, la littérature. Il apprend à parler avec élégance et distinction; il apprend aussi à bien penser. Sa captivité ne lui semble plus aussi intolérable depuis que son intelligence se développe sous la direction d'un homme comme Faria.

il apprend
he learns
bien
well
depuis que
since

L'abbé est un homme de grande distinction, et instinctivement Dantès imite son élégance et ses bonnes manières. Au bout de cinq ans la transformation d'Edmond est complète. Le jeune marin simple et ignorant est devenu un homme du monde, aux manières gracieuses et élégantes, à l'air noble et aristocratique. L'abbé le regarde avec fierté (pride) et dit:

manières
manners
au bout de
at the end of
monde
world
plus rien
nothing more
apprendre
to teach

— Mon cher Edmond, je n'ai plus rien à vous apprendre; votre éducation est complète.

Puis il ajoute d'un air grave:

est venu
has come

— Et maintenant le moment est venu de vous dire un secret.

— Un secret? s'écrie Edmond avec surprise, vous avez un secret?

partager
to share
vieux
old

— Oui mon enfant, et j'ai décidé de le partager avec vous. Je suis vieux; j'ai maintenant abandonné tout espoir de sortir

de prison; mais vous . . . vous êtes jeune . . . qui sait? il est
possible qu'un jour les portes de la prison s'ouvrent devant
vous . . . eh bien! dit-il en regardant Edmond avec affection,
ce jour-là vous serez (you will be) non seulement libre, mais
5 riche. . . .

    Il s'approche du jeune homme et murmure:

    — Je sais où il y a un trésor, un trésor immense. . . .

    — Un trésor? s'écrie Edmond, incrédule, et où cela?
(where?)

10   — C'est une longue histoire, dit le vieillard; écoutez donc:

    Je vous ai déjà dit qu'autrefois j'étais le secrétaire et l'ami
du cardinal Spada, le dernier des princes de ce nom. A sa
mort, le cardinal m'a légué (bequeathed) sa bibliothèque
(library), une bibliothèque magnifique de quinze mille
15 (15.000) volumes. Très heureux, je me suis mis (I set out)
immédiatement à examiner et à cataloguer cette énorme
bibliothèque.

    Un jour, je trouve un vieux manuscrit avec des miniatures
superbes. Enchanté, je l'examine feuille par feuille quand je
20 vois que deux feuilles sont collées ensemble (stuck together).
Je les sépare aussi délicatement que possible et je trouve entre
les deux pages un vieux document. L'encre est si pâle que
c'est avec la plus grande difficulté que je peux lire ce qui est
écrit. Imaginez ma surprise et ma joie quand je vois que c'est
25 un testament, le testament d'un marquis de Spada, daté de
1499. Ce document, je vais vous le montrer; c'est ma plus
précieuse possession. Regardez: il est écrit en italien. Lisez:

    Lentement et avec difficulté, Dantès lit:

    « Aujourd'hui ce 25 mai 1499, je déclare par ce
30   testament que je lègue (bequeath) à mon fils
    Guido toute ma fortune qui consiste en un trésor
    caché dans une grotte de l'île de Monte-Cristo.
    Cette grotte est située au centre de la petite baie
    au Nord-Est (N.E.) de l'île, directement sous le plus
35   gros rocher.

            A Milan, ce 25 mai 1499.
                César Spada»

ce jour-là
that day
libre
free

un trésor
a treasure

autrefois
formerly
j'étais
I was
le dernier
the last
quinze
fifteen

une feuille
a leaf

entre
between

lisez
read
lentement
slowly
par
by

caché
hidden

rocher
rock

la ville
the town

— Notez la date, dit Faria, mai 1499. En octobre de la même année, les troupes françaises ont occupé et ravagé la ville de Milan. Il est probable que c'est en prévision de cette invasion que César Spada a décidé de cacher ses trésors à Monte-Cristo. 5

en apprenant
on learning
a été frappé
was struck

Guido Spada est mort pendant le siège de la ville, et le père, en apprenant la mort de son fils, a été frappé d'une attaque d'apoplexie. Les héritiers (heirs) n'ont jamais trouvé le testament du vieux Spada, ni ses trésors. Le beau manuscrit, avec le testament caché entre ses feuilles, est resté en possession de 10 la famille, mais personne n'a jamais eu (never had) la curiosité

ouvrir
to open

d'ouvrir le livre et de regarder entre ses pages. Le cardinal Spada est mort sans héritiers (heirs) et le trésor est maintenant

est à celui
belongs to the one

à celui qui le trouve. . . .

êtes-vous allé
did you go
où
when

— Mais qu'est-ce qui vous fait croire[1] que le trésor est en- 15 core là? Êtes-vous allé à Monte-Cristo pour vous en assurer?

— Non, parce que le jour même où j'ai trouvé le testament, on m'a arrêté comme conspirateur.

— Et vous êtes sûr que personne n'a trouvé le trésor?

je ne crois pas
I do not think so
toute
very

— C'est possible, mais je ne le crois pas. L'île de Monte- 20 Cristo est toute petite et déserte. Personne n'y va jamais; il n'y a pas une maison, pas un habitant; et puis . . . le trésor doit être bien caché. Quand on cache un trésor de cette importance, on prend des précautions. C'est un trésor immense; la famille Spada était une des plus riches familles d'Italie; 25

plus de
more than

le trésor vaut (is worth) probablement plus de quinze millions.

— Quinze millions! répète Dantès, quinze millions!

— Oui, mon enfant, et si jamais vous êtes libre, ces quinze

sont à vous
are yours
à moi
mine

millions sont à vous.

— A moi! murmure Dantès; quinze millions! avec cette 30 fortune tout doit être possible. . . . Oh! si jamais je sors de prison, avec ces quinze millions, la vengeance est à moi.

que dites-vous?
what do you say?
pensées
thoughts

— Que dites-vous, mon enfant? dit le bon abbé d'un air de reproche. Quoi! vous avez toujours dans votre cœur vos pensées de vengeance? 35

— Toujours, répond Dantès avec une sombre énergie, toujours!

[1] **qu'est-ce qui vous fait croire** what makes you believe

— Edmond, dit l'abbé d'un air grave, si Dieu vous donne un jour la liberté et la fortune ce n'est pas pour faire de vous un instrument de vengeance. . . .

Dieu
God

Mais Dantès ne l'entend plus; le visage convulsé de haine,
5 l'air implacable et cruel, il regarde fixement devant lui et semble perdu dans ses terribles pensées de vengeance.

perdu
lost

Chapitre VII

L'évasion[1]

Une nuit, Dantès, entrant dans le cachot de Faria, le trouve
étendu sur son lit, le visage livide, la respiration haletante
(panting). Il veut appeler au secours, mais l'abbé l'arrête d'un
geste :

— Silence, mon enfant, dit-il. Si vous appelez, comment 5
allez-vous expliquer votre présence dans ce cachot ? Le secret
du passage va être révélé et on va nous séparer. N'appelez
personne, Edmond ; si je dois mourir, je veux mourir près de
vous.

— Mais, proteste Dantès, je ne peux pas vous laisser mourir 10
ainsi sans secours !

L'abbé secoue la tête :

— Il n'y a plus d'espoir, dit-il.

Dantès, navré (heartbroken) reste près de son ami. Toute
la nuit, il suit avec angoisse (anguish) les progrès rapides de 15
son agonie. Enfin, vers le matin, l'abbé, après une dernière
convulsion, retombe, immobile, sur son lit.

En quelques heures, Dantès a perdu son ami, son compagnon, son père.

Mais les gardes vont venir et le malheureux Edmond est 20
obligé de rentrer dans son cachot. Étendu sur son lit, le visage

étendu lying
appeler au secours to call for help

comment how

près de near

laisser let

secoue la tête shakes his head

vers le matin toward morning

quelques heures a few hours
a perdu has lost
vont venir are coming

[1] **L'évasion**   the escape

contre le mur, il ne tourne même pas la tête quand le garde
entre avec son déjeuner. Celui-ci le regarde un moment,
semble hésiter et finalement lui dit:

— Le n° 27 est mort la nuit dernière; un pauvre abbé du
5 nom de Faria.

— Ah! dit Dantès, incapable d'articuler un mot, ah!

Le garde ajoute d'un air important:

— C'est moi qui l'ai trouvé ce matin quand je suis entré
avec son déjeuner. Le gouverneur est maintenant dans son
10 cachot avec le médecin. . . .

Le prisonnier ne répond rien; le garde, vexé de ce manque
(lack) d'intérêt, sort en fermant la porte avec bruit (noisily).

Il ne va pas revenir avant six heures. Dantès peut donc
retourner dans le passage. Il se place contre la pierre et
15 écoute. Quelques personnes sont dans le cachot de Faria; il
entend la voix du gouverneur qui demande au médecin:

— Eh bien! docteur?

Un silence . . . il est évident que le médecin examine Faria.

— Il est mort, dit-il enfin.

20 — De quoi est-il mort?

— D'une attaque cardiaque, probablement.

Le gouverneur donne alors quelques ordres, puis il sort en
compagnie du médecin et des gardes. Dantès entend le bruit
d'une porte qui se referme, puis plus rien . . . il attend encore
25 quelques instants pour être sûr qu'il n'y a plus personne . . . il
enlève alors la pierre avec précaution, entre dans le cachot et
s'approche de son ami. . . .

Un moment, il contemple en silence cette physionomie si
chère, maintenant calme et sereine dans le repos de la mort, et,
30 pour la première fois depuis qu'il est en prison, il se tourne vers
Dieu et prie.

Il reste ainsi longtemps à prier et à méditer; les heures
passent . . . il semble perdu dans ses sombres pensées. . . . Tout
à coup, il entend un bruit de voix dans le corridor . . . vite il
35 rentre dans le passage qu'il referme en toute hâte, mais il reste
derrière la pierre pour écouter la conversation.

— Où est le sac? demande un garde.

— Le voici, répond un autre.

déjeuner
breakfast

pauvre
poor

le médecin
the doctor

fermant
closing
six heures
six o'clock

la voix
the voice

prie
prays
longtemps
a long time
tout à coup
suddenly
vite
quickly

fini
over

Un long silence. . . .

— Est-ce fini? demande le premier garde.

— Oui, dit l'autre, le pauvre abbé est dans le sac; il ne reste plus qu'à attacher le boulet (cannon ball).

jeter à la mer
to throw into the sea
ce soir
this evening

— Quand va-t-on le jeter à la mer?   5

— Le gouverneur a donné l'ordre pour ce soir, à dix heures.

— Est-ce que je dois rester dans ce cachot?

— Ce n'est pas nécessaire; nous n'avons qu'à fermer la porte.

Les gardes sortent. Dantès rentre dans son cachot. Il passe 10 le reste de la journée à pleurer et à se lamenter. La mort de l'abbé l'a plongé dans un sombre désespoir. Que va-t-il faire maintenant que son ami n'est plus là pour lui donner le courage de vivre? Et, de nouveau, des idées de suicide revien-

reviennent
come back
il se rappelle
he remembers

nent le hanter (haunt him). Il se rappelle avec horreur les 15 premières années de sa captivité. Est-il donc condamné à

mille fois
a thousand times
puisque
since
les morts
the dead
frappé
struck
plus . . . plus
the more . . . the more
cent
a hundred
réussir
to succeed
bientôt
soon

retomber dans cet enfer (hell)? Non, mille fois non, la mort est préférable; la mort seule peut le délivrer, et puisque les morts seuls sortent du château d'If . . . à ces mots, il s'arrête, frappé d'une idée soudaine . . . si les morts seuls sortent du 20 château d'If . . . pourquoi ne pas prendre la place de Faria?

Il examine cette idée audacieuse, et plus il l'examine, plus elle lui semble possible. Puisqu'on jette les morts à la mer, il a une chance sur cent de réussir, et c'est le seul moyen de jamais sortir de cette prison.   25

Il n'y a pas une minute à perdre; les gardes vont bientôt revenir enlever le cadavre. Dantès entre dans le cachot de Faria; en un instant, il ouvre le sac, transporte le cadavre dans le passage et remet la pierre en place. Il prend le couteau (knife) de Faria et se met dans le sac qu'il referme aussi bien 30 que possible. Puis, le cœur tremblant, il attend. . . .

Bientôt il entend le bruit des gardes dans le corridor. La porte s'ouvre; un garde s'approche du sac et attache un boulet (cannon ball) aux pieds de Dantès. Deux gardes soulèvent

pieds
feet
soulèvent
lift

Dantès, rigide comme un mort, et le transportent sur le mur 35 extérieur de la prison. On entend le bruit de la mer au pied des murs. . . .

Les gardes balancent (swing) le sac . . . un . . . deux . . .

trois . . . et le jettent à la mer. Le sac tombe avec rapidité. Sans
perdre un instant, Dantès ouvre le sac avec son couteau (knife)
et réussit à remonter à la surface. Il se met alors à nager
sans bruit . . . dans la nuit, personne ne peut le voir. Les gardes
5 sont rentrés dans la prison et Dantès est maintenant seul,
perdu dans l'obscurité, un point sur la mer immense.

Dantès nage vigoureusement. Libre! il est libre! et dans
sa joie, il nage avec enthousiasme. Sa première pensée est de
mettre la plus grande distance possible entre lui et le château
10 d'If. Il n'est pas encore hors de danger, mais dans les premiers
moments de joie, il ne pense pas aux difficultés qui l'attendent.

Les heures passent . . . Dantès nage toujours, mais sa fatigue
devient de plus en plus grande. Un moment vient où il lui
semble qu'il ne peut plus faire un mouvement. Va-t-il donc
15 mourir au moment de réussir?

Il fait jour maintenant et Dantès regarde avec anxiété
l'immense surface pâle de la mer. Tout à coup, il aperçoit à
l'horizon un petit bateau qui semble s'approcher. Retrouvant
tout son courage, Dantès se remet à nager avec l'énergie du
20 désespoir. Le bateau se rapproche . . . Dantès appelle . . . Oh!
joie, on l'entend, on l'aperçoit, on se dirige vers lui. . . .

Edmond fait un dernier effort, mais il ne peut plus avancer.
Un des marins du bateau se jette alors à la mer, nage vers lui,
et au moment où Dantès va disparaître, le marin le saisit. . . .
25 Sauvé! . . . il est sauvé!

il se met à nager
he starts to swim

sont rentrés
have gone back

hors de
out of

de plus en plus
more and more

il fait jour
it is daylight

disparaître
to disappear
saisit
seizes

Chapitre VIII

A bord de la *Santa Lucia*[1]

un peu de
a little
les yeux
his eyes

On transporte Dantès sur le bateau et on lui donne un peu de rhum pour le ranimer (revive him). Il ouvre les yeux lentement. Un petit groupe de marins s'est approché de lui et on le regarde avec sympathie et curiosité.

Le capitaine, un géant vigoureux et bronzé, lui demande en italien:

— Qui êtes-vous?

— Je suis, répond Dantès en bon italien, un marin de Malte. Notre bateau a sombré (sank) la nuit dernière sur les rochers près de l'île d'If. Tous mes camarades sont morts. Je suis le seul qui reste. Je vous dois la vie, ajoute-t-il en regardant le capitaine avec gratitude, et je vous remercie.

je vous dois
I owe you
remercie
thank
ne parlons pas
let us not talk

— C'est bon, c'est bon (never mind), dit le capitaine, ne parlons pas de cela; la question est maintenant de savoir ce que nous allons faire de vous.

je connais
I know
si vous avez besoin
if you need

— Je suis un bon marin, dit Dantès, et je connais très bien la Méditerranée. Si vous avez besoin d'un bon pilote . . .

semaine
week
s'il doit
if he ought to

— J'ai certainement besoin d'un pilote pour remplacer ce pauvre Beppo qui est mort la semaine dernière, mais . . .

Il regarde Dantès, incertain s'il doit continuer. . . . L'air simple et honnête de Dantès le décide à parler:

[1] On board the *Santa Lucia*

— Eh bien! voilà, dit-il. Mes camarades et moi, nous faisons (we are engaged in) un petit commerce entre la France et l'Italie, un commerce très lucratif, seulement, ajoute-t-il en riant, nous ne déclarons jamais nos marchandises au gouverne-
5 ment français ou italien, comprenez-vous?

— Parfaitement, dit Dantès, en riant aussi; vous êtes d'honnêtes contrebandiers. Eh bien! si vous avez besoin de mes services, je vais me faire (I will become) contrebandier, moi aussi.

10 Le capitaine consulte des yeux les autres marins qui approuvent d'un signe de tête, et Dantès devient le pilote de la *Santa Lucia*.

Un marin s'approche d'Edmond avec quelques vêtements:

— Acceptez ces vêtements, camarade, dit-il, vous en avez
15 besoin.

Très touché de cette générosité, Edmond lui répond:

— Merci, mon ami; quel est votre nom?

— Jacopo, répond le marin, à votre service. C'est moi qui vous ai repêché (fished out) il y a un instant, ajoute-t-il en
20 riant.

— Ah! dit Dantès, c'est vous qui m'avez sauvé? En ce cas, je vous remercie une seconde fois.

— Bah! dit Jacopo, un jour pour l'un, un jour pour l'autre; n'en parlons plus. En attendant, je vais vous apporter quelque
25 chose à manger.

Un moment après, Jacopo revient avec le déjeuner de Dantès. Tout à coup, on entend le canon du château d'If. Dantès lève la tête et devient très pâle.

— Tiens! dit le capitaine, le canon d'alarme. Un prisonnier
30 s'est échappé (has escaped) du château d'If.

Il regarde attentivement Dantès, qui, voyant qu'on l'observe, continue de manger sans perdre son calme.

— Bah! se dit le capitaine, même si c'est lui, ce n'est pas mon affaire. Je ne suis pas Français et j'ai besoin d'un bon pilote.

35 Puis, voyant que Dantès est mort de fatigue, il lui dit d'aller dormir quelques heures. Jacopo le conduit à sa cabine; Dantès se laisse tomber dans un hamac (hammock) et bientôt il dort profondément.

---

en riant
laughing

comprenez-vous?
do you understand?
parfaitement
perfectly
contrebandiers
smugglers

d'un signe de tête
with a nod

vêtements
clothes

il y a un instant
a moment ago

en attendant
meanwhile
apporter
to bring
quelque chose
something
lève
raises

voyant
seeing

se laisse tomber
drops
profondément
soundly

coupe
cuts
cheveux
hair
barbe
beard

tout à fait
quite
il rit de bon cœur
he laughs heartily

il a 33 ans
he is 33 years old
que s'est-il passé
what has happened
qu'est devenu
what has become of

demain
tomorrow

avec eux
with them
cependant
however
se rendre à
to go to
aussitôt que
as soon as
facile
easy
la centième
the hundredth

Il dort encore quand Jacopo entre dans sa cabine quelques heures après avec son dîner. Dantès mange de bon appétit, puis il demande à Jacopo de lui apporter des ciseaux (scissors) et un rasoir (razor). Il fait sa toilette, coupe ses longs cheveux, sa longue barbe et met les vêtements que Jacopo lui a donnés. 5 Quand il a fini sa toilette, Jacopo le regarde avec la plus grande satisfaction :

— A la bonne heure! (good!) dit il, maintenant vous avez tout à fait l'air d'un honnête contrebandier.

Et il rit de bon cœur. 10

Dantès lui demande soudain :

— Jacopo, mon ami, quelle est la date aujourd'hui ?

— C'est aujourd'hui le 28 septembre 1829.

— Merci, dit Dantès.

Il tombe alors dans une profonde rêverie. . . . 15

1829! Dantès est donc resté en prison quatorze ans! Il est entré au château d'If à l'âge de dix-neuf ans; il a maintenant trente-trois ans.

Que s'est-il passé pendant ces quatorze ans? qu'est devenu son pauvre père? et Mercédès . . . l'attend-elle encore? 20

Alors sa pensée se tourne vers les trois hommes qui sont responsables de sa longue et cruelle captivité. Une expression de haine implacable passe sur son visage. Il se répète le serment (oath) de vengeance qu'il a prononcé dans sa prison, et ce serment n'est plus une vaine menace : il est libre main- 25 tenant, et demain, si Dieu le veut (God willing) il va être riche, fabuleusement riche !

Il y a maintenant six semaines que Dantès est[2] le pilote de la *Santa Lucia*. Les marins continuent leur commerce de contre- bande et Dantès travaille avec eux de bon cœur. Cependant, 30 il n'a qu'une pensée, qu'un désir : se rendre à Monte-Cristo aussitôt que possible, et il attend avec impatience qu'une occasion se présente. Mais ce n'est pas chose facile : l'île est déserte et les bateaux n'y vont jamais.

Un matin que, pour la centième fois, Dantès se demande 35

[2] **il y a maintenant six semaines que Dantès est** for six weeks now, Dantès has been

comment se rendre à Monte-Cristo sans donner de soupçons
à personne, le capitaine s'approche de lui :

— Dantès, lui dit-il, demain nous avons rendez-vous avec la
Jeune Amélie. Cette fois nous devons nous rencontrer à l'île de
5 Monte-Cristo. . . .

En entendant ce nom qui le hante (haunt him) depuis des
semaines, Dantès ne peut réprimer (suppress) un violent
mouvement de surprise et c'est avec difficulté qu'il réussit à
demander d'une voix calme :

10 — Quand partons-nous ?

— Ce soir, à dix heures, dit le capitaine ; et il rentre dans
sa cabine.

Dantès, plein de joie, attend le soir avec impatience ; ainsi
donc la plus grande difficulté est surmontée (overcome) ! Le
15 voyage à Monte-Cristo va se faire d'une manière toute simple
et naturelle, sans inspirer de soupçons à personne. . . .

Que va-t-il trouver dans la grotte ?

soupçons
suspicions

nous devons
we are to . . .

partons-nous
do we go

plein
full
ainsi donc
so

Chapitre IX

Le trésor

La journée se passe à préparer l'expédition et Dantès travaille avec ardeur pour cacher son agitation. A dix heures du soir tout est fini, et le capitaine donne le signal du départ. La mer est calme et Dantès dit aux marins d'aller dormir, qu'il peut diriger le bateau tout seul.

Depuis sa longue captivité, Dantès a, de temps en temps, besoin de solitude, et ce soir, plus que jamais, il a besoin d'être seul pour réfléchir. Il doit trouver un prétexte plausible pour rester seul dans l'île après le départ de ses camarades. Il réfléchit longtemps . . . enfin il croit avoir trouvé un moyen: il va simuler un accident assez sérieux pour qu'on soit (be) obligé de le laisser à Monte-Cristo. Il passe le reste de la nuit à réfléchir à la manière de simuler cet accident.

Vers huit heures du matin, on aperçoit l'île de Monte-Cristo à l'horizon. Dantès dévore des yeux la masse de rochers qui se rapproche. Enfin on arrive, et Dantès est le premier à sauter dans le canot (rowboat) qui va les conduire à la petite île.

La *Jeune Amélie* est déjà là, et les marins passent la journée à transporter leurs marchandises d'un bateau à l'autre. A cinq heures du soir, tout est terminé. Avant de partir, le capitaine veut s'assurer qu'il n'y a pas de bateaux en vue, et Dantès

départ
departure

plus que jamais
more than ever
réfléchir
to reflect

laisser
to leave

vers
around

sauter
to jump

avant de partir
before leaving
en vue
in sight

5

10

15

20

monte sur un grand rocher pour scruter (to scan) l'horizon. Il redescend en sautant avec agilité de rocher en rocher. Tout à coup il pousse un cri et disparaît. On se précipite à son secours; on le trouve étendu au pied d'un rocher, pâle et
5 sanglant (bleeding). Quand il ouvre les yeux, il voit un petit groupe de marins qui l'entoure et le regarde avec anxiété.

— Transportons-le sur le bateau, dit le capitaine.

Mais, quand on veut le soulever, Dantès pousse un cri:

— Non, non, ne me touchez pas, dit-il, le moindre mouve-
10 ment est une torture; laissez-moi ici.

Le capitaine secoue la tête:

— Vous laisser ici? dit-il, c'est impossible; nous n'allons pas revenir avant huit jours; vous allez mourir de faim (die of hunger) pendant ce temps-là.

15 — Mais non, dit Dantès; laissez-moi seulement quelques provisions, un fusil et de la poudre (gun and powder). Je n'ai besoin de rien de plus. Partez, capitaine, vous ne devez pas risquer le succès de votre expédition pour moi.

Dantès a raison; dans une pareille expédition, on ne doit
20 pas perdre de temps. . . . Cependant, le capitaine hésite à abandonner un camarade.

Dantès insiste:

—Je vous assure, capitaine, qu'avec quelques provisions et un sac pour dormir, je peux attendre facilement votre retour;
25 mais ne restez pas là plus longtemps, c'est dangereux.

— Vous avez raison, dit enfin le capitaine, nous devons partir; mais nous allons revenir aussitôt que possible.

Il dit adieu à Edmond et donne le signal du départ. La *Santa Lucia* s'éloigne lentement de l'île de Monte-Cristo.
30 Bientôt le bateau n'est plus qu'un petit point noir à l'horizon, puis il disparaît. . . .

Le cœur plein de joie, Dantès regarde le bateau disparaître à l'horizon. Seul! il est maintenant tout seul dans l'île et il a huit jours pour faire ses explorations.

35 Alors, comme par miracle, Dantès retrouve toute son agilité. Sans perdre un instant, il se dirige vers la petite baie au Nord-Est (N.E.) de l'île; c'est une toute petite baie, entourée de trois côtés de rochers abrupts. Au centre, il

---

il pousse un cri
he utters a cry
disparaît
disappears
on se précipite
they rush forward
entoure
surrounds

le moindre
the least
ici
here

huit jours
a week

rien de plus
nothing more
vous ne devez pas
you must not
a raison
is right
une pareille
such a

retour
return

s'éloigne
goes away
noir
black

aperçoit un énorme rocher, plus abrupt que les autres. Il se rappelle alors les mots du testament: «au centre de la baie, sous le plus gros rocher.»

— C'est là, se dit-il.

Il décide de passer la nuit là, au pied du rocher. Le lende- 5 main matin, il commence ses explorations. Il examine chaque interstice, chaque fissure entre les rochers, tout ce qui peut ressembler à une ouverture, mais il ne trouve rien. Le soir, découragé, il revient passer la nuit à son petit camp. Il commence à avoir des doutes et se demande si la grotte a 10 jamais existé. Soudain, comme il réfléchit, il se rappelle ce que l'abbé Faria lui a dit: «on ne cache pas un trésor de cette importance sans prendre beaucoup de précautions.» S'il n'a pas découvert l'ouverture de la grotte, c'est évidemment parce qu'elle est ingénieusement masquée. La difficulté qui 15 le décourage doit au contraire l'encourager puisqu'elle lui donne l'assurance que personne n'a encore découvert le secret de la grotte. Mais pour lui, qui a l'avantage de savoir qu'il y a une grotte derrière ces rochers, la moindre marque, la plus petite trace va devenir une indication précieuse. Il n'y a pas 20 d'ouverture visible, c'est évident; ce qu'il doit chercher, c'est la manière dont on a fermé la grotte.

Tout en réfléchissant, il regarde cette pile de rochers, massés en désordre les uns sur les autres, et tout à coup il comprend: pour fermer la grotte, on a simplement fait tomber 25 plusieurs rochers devant l'ouverture. Depuis, les plantes ont poussé (have grown) entre ces rochers et leur ont donné un aspect naturel. . . . Mais comment va-t-il jamais réussir à déplacer ces rochers? Ah! une idée! il va les déplacer au moyen de la poudre (gunpowder) que ses camarades lui ont laissée. 30

Il cherche un interstice entre les pierres pour y placer la poudre; il improvise une mèche (fuse), l'allume, et s'éloigne rapidement.

Une explosion formidable se fait entendre; les rochers sont déplacés et maintenant on peut apercevoir l'ouverture de la 35 grotte. Dantès se précipite à l'intérieur et se met à chercher avec une ardeur fébrile, mais il ne trouve rien. Dans un angle, une grosse pierre semble masquer une autre ouverture. . . . Il

---

le lendemain matin the next morning
chaque each, every
tout ce qui all that which
une ouverture an opening

découvert discovered

chercher look for
dont in which
tout en while
fait tomber let drop
plusieurs several

allume lights

se fait entendre is heard

la déplace de la même manière et se trouve à l'entrée d'une seconde grotte; mais on ne peut rien voir dans l'obscurité. Il retourne alors au camp, saisit une torche, l'allume et revient à la grotte. La torche à la main, il pénètre dans la seconde grotte et ses yeux tombent sur un vieux coffre . . . le trésor!

D'une main tremblante, il ouvre le coffre . . . le trésor de la famille Spada se révèle à ses yeux éblouis (dazzled).

Un instant il croit être la victime d'une hallucination. Le coffre est rempli de pièces d'or et de pierres précieuses: des diamants énormes, des rubis superbes, des émeraudes splendides, des perles incomparables. Dantès plonge ses mains avides dans le coffre; il les remplit de pièces d'or qui retombent en cascade dans le coffre avec un petit bruit sonore; il tourne et retourne dans ses mains tremblantes les pierres fabuleuses avec un rire qui touche à la folie (borders on madness).

Soudain, il se précipite hors de la grotte; il a besoin de revoir la lumière du jour, de respirer l'air pur du dehors. Il se met à marcher rapidement devant lui. L'exercice violent semble calmer son exaltation; il revient à la grotte: le coffre est toujours là . . . le trésor n'est pas une illusion, mais une solide réalité. Il est riche, fabuleusement riche!

Alors seulement, il commence à croire à sa félicité et, se tournant vers Dieu, il murmure quelques mots intelligibles pour lui seul.

---

l'entrée
the entrance

à la main
in his hand

rempli
filled
pièces d'or
gold pieces

un rire
a laugh

la lumière
the light
dehors
outside
marcher
to walk

Chapitre X

Le retour à Marseille

auprès de
near
Dantès passe la nuit auprès de son trésor; une de ces nuits délicieuses et terribles qui changent la vie d'un homme en quelques heures.

Le lendemain matin, il prend quelques petits diamants, remet le coffre en place, et passe toute la journée à masquer 5 l'ouverture de la grotte aussi bien que possible. Puis il attend le retour de ses compagnons.

brave
worthy
accueillent
welcome
a été
has been
ils offrent
they offer
Ils reviennent le sixième jour. Les braves contrebandiers, heureux de revoir Dantès, l'accueillent avec joie sur le bateau. Ils lui racontent leur dernier voyage en détail; l'expédition a 10 été très avantageuse et ils offrent d'en partager les profits avec leur camarade. Edmond est très touché de leur générosité mais il refuse. Il leur explique alors qu'il désire retourner à Malte, dans sa famille. Le capitaine regrette de perdre un si bon pilote et les marins un si bon camarade, mais ils trouvent 15

tout
quite
tout naturel son désir de revoir sa famille. Lorsque le bateau retourne à Livourne, on lui dit adieu et la *Santa Lucia* repart sans lui.

A Livourne, Dantès offre un de ses plus petits diamants à

un marchand
a merchant
un marchand qui lui en donne cinq mille francs. Le marchand 20 regarde avec curiosité ce pauvre marin qui a un si beau

diamant à vendre, mais comme il fait un gros profit sur la transaction, il ne fait pas de questions.[1]

Avec ces cinq mille francs Dantès s'achète des vêtements élégants, puis il va loger dans le meilleur hôtel de la ville, sous 5 le nom de Lord Vilmore. Il peut alors vendre plusieurs autres diamants sans difficulté.

Muni de (provided with) cet argent, Dantès se rend à Gênes; il a besoin d'un bateau et c'est à Gênes que l'on construit les meilleurs bateaux. Justement on vient de terminer 10 un petit yacht pour un riche Anglais. Le bateau est juste ce que désire Dantès, et il en offre soixante mille (60.000) francs, à condition de l'avoir le jour même. Le constructeur (builder) réfléchit . . . l'Anglais est en voyage . . . il ne va pas revenir avant deux mois . . . le constructeur croit avoir le temps de 15 construire un autre yacht pendant son absence et il va faire un gros profit sur celui-ci. . . . Il consent à vendre le bateau à Dantès qui part immédiatement et tout seul pour l'île de Monte-Cristo.

Il y arrive le soir du deuxième jour; un peu anxieux, il se 20 dirige vers la grotte . . . mais il est évident que personne n'a passé là pendant son absence. Tout est exactement comme il l'a laissé.

Il passe la journée du lendemain à transporter son immense trésor sur le yacht, puis il se rend à Rome, où il met son trésor 25 en banque. Il demande alors au gouvernement italien la permission d'acheter l'île de Monte-Cristo avec le titre de comte de Monte-Cristo. Le gouvernement accepte de lui vendre l'île et le titre pour deux cent mille francs. La transaction terminée, Edmond Dantès n'existe plus: il est devenu 30 le comte de Monte-Cristo.

Dantès a non seulement changé de nom, il a aussi changé de personnalité. Les longues années de captivité ont laissé leur marque profonde sur son visage pâle. Ses cheveux sont devenus prématurément blancs, sa voix dure et métallique, 35 son expression cruelle et sardonique. Cependant il est resté jeune d'apparence et plein de distinction. Il est impossible de reconnaître dans cet homme élégant, au regard dur et im-

[1] **il ne fait pas de questions** he does not ask any questions

à vendre
for sale

achète
buys
le meilleur
the best
vendre
sell
argent
money
on construit
they build
justement
as it happens

en voyage
traveling
mois
months
construire
to build

un peu
a little

le titre
the title

dure
harsh

reconnaître
to recognize
regard
look

périeux, aux manières aristocratiques et riche comme un prince, le jeune marin d'autrefois (of long ago). Il se dirige donc avec assurance vers la France. A Marseille, il montre son passeport au nom de Monte-Cristo. On le laisse entrer sans difficulté. 5

hélas
alas

Sa première visite est pour la petite maison de son père, dans la rue Meilhan. Hélas! elle est fermée, abandonnée . . . Edmond s'arrête un instant, le cœur serré . . . (with a heavy heart).

vieil
old

De l'autre côté de la rue, devant la porte d'un petit café, 10 Dantès aperçoit un homme qu'il croit reconnaître . . . un vieil ami de son père du nom de Caderousse. Il s'approche de lui et lui dit :

pouvez-vous
can you

— Pardon, monsieur, mais je cherche un homme du nom de Dantès; pouvez-vous me dire ce qu'il est devenu? 15

— Dantès, monsieur? Louis Dantès?

— Oui.

— Il est mort, monsieur.

douloureuse
sorrowful

Une expression douloureuse passe sur le visage de l'étranger.

— Il y a longtemps qu'il est mort?[2] 20

triste
sad

— Il y a plus de dix ans, monsieur; il est mort un an après l'emprisonnement de son fils. . . . Ah! c'est une bien triste histoire . . . entrons dans ce café et je vais vous la raconter.

Les deux hommes entrent dans le café, et Caderousse commence son histoire : 25

brave
good

— Louis Dantès, dit-il, avait un fils, Edmond; un si brave garçon monsieur, et un si bon marin! capitaine du *Pharaon* à dix-neuf ans! Il a été arrêté le jour même de son mariage et emprisonné au château d'If comme conspirateur. Le pauvre

chagrin
grief

père en est mort de chagrin. 30

— Mort, dit l'étranger avec compassion, tout seul? sans amis?

étaient
were

— Oh! non, monsieur, pas seul; Mercédès, la fiancée d'Edmond, et M. Morel, un ami, étaient auprès de lui. M. Morel est un brave homme; après l'emprisonnement d'Edmond, 35 il a fait tout son possible pour lui. Au risque d'être arrêté

[2] **Il y a longtemps qu'il est mort?**   Has he been dead for a long time?

lui-même comme suspect, il est allé voir plusieurs fois M. de Villefort, le procureur du roi. Il est même allé à Paris intercéder en faveur d'Edmond, mais en vain. C'est lui qui a consolé le vieux père, qui lui a donné l'argent nécessaire pour
5 vivre, qui l'a assisté pendant ses derniers jours. Maintenant c'est à son tour d'être malheureux.

à son tour
his turn

— Que voulez-vous dire?[3] demande l'étranger.

— Monsieur Morel a perdu cinq bateaux en deux ans; il ne lui en reste plus qu'un:[4] le *Pharaon*. Le *Pharaon* est allé à Cal-
10 cutta et on attend son retour depuis quelque temps. S'il ne revient pas, M. Morel est ruiné.

depuis quelque temps
for some time

— Ah! dit l'étranger avec sympathie, la fortune ne sourit pas toujours aux braves gens.

gens
people

— Non, dit Caderousse, mais elle semble sourire aux
15 méchants.

méchants
evil-doers

— Comment cela?

— Tenez! (well) monsieur, je vais vous dire: j'ai toujours pensé que les amis d'Edmond étaient en réalité ses ennemis. Ils étaient jaloux de lui: Danglars, parce que Dantès était capi-
20 taine du *Pharaon,* et Fernand Mondego parce qu'Edmond était son rival. On l'a dénoncé à la police, c'est certain, et j'ai toujours pensé que c'étaient ses «amis» Danglars et Fernand qui avaient fait cela.

avaient fait
had done

— Et la fiancée, qu'est-elle devenue?

25 — Ah! monsieur, elle était seule, sans parents, sans argent ... Après la mort du père d'Edmond, son cousin l'a demandée en mariage et elle a accepté.

L'étranger est devenu très pâle, mais il continue d'une voix calme:

30 — Et où sont-ils maintenant?

—Je ne sais pas exactement ... à Paris, je crois. Fernand Mondego est maintenant pair de France (Peer of the Realm).

— Pair de France! Fernand Mondego! il est donc devenu riche?

35 — Très riche. Quelque temps après son mariage, il est allé chercher fortune en Grèce (Greece). On dit qu'il est devenu

chercher fortune
to seek his fortune

---

[3] **Que voulez-vous dire?** What do you mean?
[4] **il ne lui en reste plus qu'un** he has only one left

l'ami et le protecteur d'un riche pacha et que c'est ainsi qu'il a fait fortune. Il s'appelle maintenant le comte de Morcef.

— Et Danglars?

— Oh! lui aussi est devenu riche. Il a fait un riche mariage et il est maintenant à la tête d'une des plus grandes banques de Paris. On dit qu'il est plusieurs fois millionnaire. Mais avec tout leur argent, je ne les envie pas; non; je préfère ma conscience à la leur.

— Vous avez raison; les rapides fortunes ne sont pas toujours bien honnêtes.

L'étranger est tombé dans une profonde rêverie. . . . Ainsi donc les méchants ont prospéré, sont devenus riches, heureux, tandis que leur victime était condamnée à mourir dans une captivité horrible! mais patience . . . le moment de la rétribution est imminent . . . et quelle rétribution!

Une expression de haine féroce passe sur le visage de l'étranger; il dit adieu au brave Caderousse, sort du café, et se dirige rapidement vers le port.

à la leur
to theirs

tandis que
while

Chapitre XI

Monsieur Banning

Un matin, un Anglais se présente à la banque Bolville &
Fils, et demande à parler à M. Bolville.

— Monsieur, lui dit-il, je représente la maison Thomson &
French de Rome. Nous sommes depuis dix ans en relations
5 commerciales avec la maison Morel & Fils. On dit que la
ruiné menace cette maison et nous désirons savoir si cette
rumeur est vraie.

— J'en ai peur, monsieur, et pour M. Morel et pour nous.
Les Morel sont de braves gens et leur maison est très honorable,
10 mais, depuis quatre ou cinq ans, le malheur semble poursuivre
M. Morel. Il a successivement perdu cinq bateaux. Il ne lui
en reste plus qu'un, le *Pharaon*. S'il ne revient pas, M. Morel
va se trouver dans l'impossibilité de payer ses dettes.

— Il doit beaucoup d'argent?

15 — Je le crois, dit M. Bolville. En plus des deux cent mille
francs qu'il doit à notre maison, il doit cent mille francs à la
maison Lafitte et probablement une centaine de mille francs à
différentes maisons commerciales de Marseille.

— La maison Thomson & French désire avoir en sa pos-
20 session tous les billets de la maison Morel. Voulez-vous les
acheter secrètement pour nous?

— Certainement, mais vous ne faites pas une bonne affaire.

la maison
the firm

j'en ai peur
I am afraid of it

poursuivre
to pursue

payer
to pay
dettes
debts
en plus de
besides
une centaine
about a hundred

billets
IOU's

45

Si, comme je le crois, le *Pharaon* est perdu, M. Morel va faire banqueroute (will go bankrupt) et vous allez perdre tout cet argent.

— Qu'est-ce qui vous fait croire que le *Pharaon* est perdu?

— Il est parti de Calcutta au mois de décembre. Trois autres bateaux, partis après lui, sont arrivés à Marseille il y a quelques 5 jours; ce n'est pas un bon signe.

en effet
quite so
espérer
hope

— En effet, dit l'Anglais, mais rien n'est encore certain, on peut encore espérer. En attendant, achetez-nous tous ces billets. La maison Thomson & French va vous ouvrir un crédit de cinq cent mille francs. 10

au sortir de
on leaving

Au sortir de la banque, l'Anglais se dirige vers la maison de M. Morel.

Hélas! la maison a bien changé pendant ces dernières années. Autrefois, elle avait un air de prospérité, de vie et de gaieté. Maintenant la gaieté a fait place (given way) à la 15

tristesse
sadness

tristesse, l'animation au silence. Le malheur a jeté sur toute cette maison un air de ruine et de désolation.

L'Anglais frappe à la porte; une jeune fille à l'air triste et sérieux vient lui ouvrir.

— Monsieur Morel, s'il vous plaît, dit l'étranger avec un 20 accent anglais très prononcé.

— Qui dois-je annoncer, monsieur?

— Monsieur Banning, de la maison Thomson & French.

— Suivez-moi, monsieur, s'il vous plaît.

bureau
office

La jeune fille conduit l'étranger au bureau de M. Morel: 25

— Monsieur Banning, père, dit-elle en ouvrant la porte.

accueille
receives
inquiet
worried

M. Morel accueille son visiteur d'un signe de tête; pâle de fatigue, il demande d'un air hésitant et inquiet:

— Vous désirez me parler, monsieur?

— Oui, monsieur; je représente la maison Thomson & 30 French; nous avons plusieurs de vos billets et nous désirons savoir si vous pouvez les payer. Je dois vous dire qu'une rumeur circule que vous êtes sur le point de faire banqueroute (going bankrupt). Naturellement cela nous a causé une certaine anxiété; nous savons que la maison Morel a une 35 longue réputation d'intégrité, mais. . . .

M. Morel répond avec beaucoup de dignité:

— Monsieur, si le *Pharaon* revient de Calcutta, je vais pouvoir payer toutes mes dettes. Mais ce bateau est ma dernière ressource; s'il est perdu, comme j'en ai peur, je suis complètement ruiné.

Soudain, un bruit de voix se fait entendre dans le corridor
5 et un officier de marine, suivi de plusieurs personnes, fait irruption dans (bursts in) le bureau.

— Comment! c'est vous, mon brave Penelon! dit M. Morel en poussant un cri de joie. Le *Pharaon* est donc à Marseille?

— Hélas! monsieur, je ne sais comment vous annoncer ce
10 malheur. . . .

— Parlez, qu'est-il arrivé?

— Le *Pharaon*, monsieur, est perdu, mais son équipage a été sauvé par le *Bellerophon* qui vient d'entrer dans le port.

M. Morel est devenu horriblement pâle. La tête entre ses
15 mains, il demeure longtemps immobile, sans rien dire.

L'Anglais et l'officier, émus par ce terrible malheur, respectent son silence.

Enfin, M. Banning s'avance vers le pauvre homme et lui dit:

— Monsieur, avant l'arrivée du capitaine Penelon, notre
20 conversation n'était pas finie. J'étais venu vous dire que nous avons décidé de vous donner tout le temps nécessaire pour payer vos billets. Combien de temps voulez-vous?

M. Morel secoue tristement la tête:

— Dites à MM. Thomson & French que je les remercie de
25 cette offre généreuse, mais hélas, je n'espère plus pouvoir payer mes dettes, pas plus dans un an que maintenant. Avec le *Pharaon*, j'ai perdu mes dernières ressources.

— Qui sait? dit M. Banning d'un air mystérieux. Nous vous donnons six mois.

30 En sortant, il dit au capitaine Penelon:

— Mon ami, j'ai besoin de vous. Je veux vous prendre à mon service avec tout l'équipage du *Pharaon*. Allez chercher vos hommes et rendez-vous à Gênes pour y attendre mes ordres.

Le capitaine accepte avec empressement (alacrity) cette
35 offre d'emploi pour lui et ses camarades et M. Banning part immédiatement pour Gênes.

A Gênes, il va voir M. Lazoni, un constructeur (builder) de bateaux:

pouvoir
to be able

qu'est-il arrivé?
what has happened?
équipage
crew

il demeure
he remains
émus
moved

j'étais venu
I had come

combien de temps
how long

allez chercher
go fetch

— M. Lazoni, lui dit-il, c'est vous qui avez construit tous les
bateaux de la maison Morel, n'est-ce pas?

— Oui, monsieur.

— En ce cas, vous avez construit le *Pharaon*?

— Certainement.　　　　　　　　　　　　　　　　　　　5

— Vous avez encore les plans de ce bateau?

— Mais oui.

— Eh bien! construisez-moi un autre bateau pareil au
Pharaon dans les plus petits détails et aussi vite que possible.
Combien de temps voulez-vous?　　　　　　　　　　　　　10

— Il me semble qu'en travaillant aussi rapidement que
possible, nous pouvons vous le construire en un an. Mais,
ajoute-t-il, cela va vous coûter cinq cent mille francs.

— Je vous en donne six cent mille si le bateau est construit
en six mois, avec deux cent mille francs d'avance.　　　　　15

M. Lazoni proteste que c'est une chose impossible, mais M.
Banning insiste . . . finalement Lazoni prend l'argent et promet
de construire le bateau en six mois.

M. Banning attend ensuite l'arrivée de Penelon et de ses
hommes. Lorsque celui-ci arrive, il lui dit:　　　　　　　20

— Capitaine, vous et vos hommes vous allez retourner à
Calcutta sur le bateau *La Gironde*. A Calcutta, vous achèterez
(you will buy) les mêmes marchandises que celles que (that)
vous avez achetées pour le *Pharaon* à votre dernier voyage.

Le capitaine le regarde de l'air d'un homme qui ne com- 25
prend pas. M. Banning continue:

— Pendant votre absence, on va construire un bateau tout
pareil au *Pharaon* . . . comprenez-vous? même bateau, même
équipage, mêmes marchandises . . . et un beau matin on
annonce l'arrivée du *Pharaon* dans le port de Marseille. . . .　30

— Mais monsieur, dit le capitaine, il y avait pour plus de
six cent mille francs de marchandises sur le bateau!

— Eh bien! on va vous ouvrir un crédit de six cent mille
francs.

— Oh! monsieur, qui êtes-vous donc pour faire ainsi des 35
présents qui coûtent un million?

— Un homme qui aime payer ses dettes, répond M. Banning
laconiquement.

n'est-ce pas?
is it not so?

pareil
identical

coûter
to cost

promet
promises

ensuite
next

retourner
to go back

Les six mois accordés par la maison Thomson & French passent rapidement pour M. Morel qui voit approcher la date du 5 septembre avec la résignation du désespoir.

Ce jour-là, il embrasse tendrement sa femme et ses enfants, **femme**
5 puis il va dans son bureau. Il attend l'arrivée de l'employé   wife
de banque qui doit venir lui présenter ses billets à payer. Pour la première fois de sa vie, il va refuser d'honorer sa signature. Il regarde d'un air sombre le revolver qu'il a placé sur la table devant lui : la mort est préférable au déshonneur.

10   On frappe à la porte ; un employé de banque entre avec une grosse enveloppe qu'il place sur la table, puis il se retire sans rien dire. M. Morel, surpris, tourne et retourne l'enveloppe entre ses mains. Enfin il se décide à l'ouvrir. Plusieurs papiers tombent sur la table : ce sont ses billets, tous ses billets avec,
15 écrit en grosses lettres, le mot magique : PAYÉ. M. Morel   **croit rêver**
croit rêver. Il examine les billets, vérifie les signatures :   believes he is dreaming
C'est bien sa signature, ce sont bien ses billets et le mot payé   **c'est bien**
est écrit sur tous. Il ne doit plus rien à personne ! il est sauvé !   it is indeed
sauvé du déshonneur ! Il appelle sa femme, ses enfants. . . .
20 Trop ému pour parler, il leur montre seulement les billets et le mot PAYÉ. Quelle joie dans la maison ! ce sont des rires, des
exclamations, des larmes de joie.   **larmes**
                                       tears
Mais ce n'est pas tout. Deux jours après cette scène, une rumeur fantastique circule dans Marseille : on dit que le
25 *Pharaon* vient d'entrer dans le port ! Le *Pharaon* ? impossible ! M. Morel secoue la tête, incrédule ; le capitaine Penelon ne lui a-t-il pas dit lui-même il y a six mois que . . .

Un jeune homme fait irruption dans (bursts in) le bureau :
— Père, s'écrie-t-il, c'est vrai ! Le *Pharaon* vient d'entrer
30 dans le port.

Doutant encore de ce prodige, M. Morel se rend au port avec sa femme et ses enfants. Plus de doutes : l'évidence est là, devant ses yeux, sous la forme d'un bateau qui ressemble en tout au *Pharaon* . . . même bateau . . . même équipage . . . même
35 capitaine. . . . Le pauvre homme n'y comprend rien.

Cependant, à bord d'un petit yacht, quelqu'un a observé   **cependant**
cette scène à distance avec un profond intérêt. Touché de la   meanwhile
joie de la famille Morel, il murmure d'une voix émue :   **quelqu'un**
                                                          some one

— Soyez heureux (be happy) braves gens, nobles cœurs qui avez consolé un vieux père dans l'adversité. Le fils a payé la dette contractée par le père.

Et maintenant, ajoute-t-il d'un air sombre, c'est au tour des autres de payer leur dette.   5

Deuxième Partie

Chapitre XII

Une aventure à Rome

Le jeune vicomte Albert de Morcef voyage en Italie accompagné de son ami Frantz d'Épinay.

Ils arrivent à Rome pendant le carnaval. Les hôtels sont pleins et c'est avec difficulté qu'ils trouvent deux chambres à 5 l'hôtel de maître Pastrini. L'hôte les accompagne à leurs chambres qui sont toutes petites et qui coûtent très cher.

— Maître Pastrini, dit Albert, nous avons besoin d'une voiture et de deux chevaux.

— Une voiture! deux chevaux! Monsieur, c'est impos-10 sible!

— Bah! dit le jeune homme, même si j'offre de payer le double?

— Non, monsieur; en ce moment il est impossible de trouver une voiture et un cheval dans toute la ville de Rome, à aucun 15 prix.

Albert est désolé: une voiture est indispensable si l'on veut prendre part à la parade des masques sur le Corso.

— Alors, dit-il, voulez-vous nous réserver une fenêtre sur le Corso pour voir la parade?

20 Maître Pastrini secoue la tête:

— Impossible, monsieur; toutes les places aux fenêtres sont réservées depuis longtemps. Pensez donc, monsieur, qu'il vient

voyage
is traveling

chambres
rooms
maître
master

une voiture
a carriage
deux chevaux
two horses

un cheval
a horse
à aucun prix
at any price
désolé
dismayed

53

plus de cent mille personnes à Rome pendant le carnaval et que le nombre de fenêtres sur le Corso est limité.

— Mais alors, dit Albert, de plus en plus désolé, nous n'allons rien voir du tout.

Maître Pastrini sort en murmurant ses regrets.

Une heure après, il revient, tout souriant (all smiles):

Messieurs gentlemen
voisin neighbor
la sienne his

— Messieurs, dit-il, monsieur le comte de Monte-Cristo, qui est votre voisin, vient d'apprendre que vous ne pouvez pas trouver de voiture. Il vous offre deux places dans la sienne, et deux places à ses fenêtres du palais (palace) Rospoli, sur le Corso.

jeunes gens young men

Les deux jeunes gens se regardent, hésitants. . . . Est-ce correct d'accepter cette faveur d'un étranger, d'un homme qui ne leur a pas été présenté?

A ce moment, quelqu'un frappe à la porte:

— Entrez, dit Frantz.

un domestique a servant

Un domestique entre, apportant deux cartes de visite.

— De la part de (from) monsieur le comte de Monte-Cristo, pour monsieur Frantz d'Épinay et pour monsieur le vicomte de Morcef, dit-il.

Il présente les cartes aux jeunes gens en ajoutant:

— Monsieur le comte demande à ces messieurs la permission de se présenter demain matin.

la politesse politeness

faire une visite to pay a visit

— Dites à monsieur le comte, répond Frantz, charmé de la politesse de Monte-Cristo, que c'est nous qui demandons l'honneur de lui faire une visite pour le remercier de sa gracieuse invitation.

chez at (the apartment of)
reçoit receives

Le lendemain matin, les deux jeunes gens se présentent chez Monte-Cristo qui les reçoit avec beaucoup de politesse. Le comte les emmène dans sa voiture voir la parade sur le Corso; puis il les invite à l'accompagner le soir à l'Opéra.

Le luxe (luxury) sans ostentation du comte, son air noble et affable, sa conversation brillante font une profonde impression sur les deux jeunes gens.

Le dernier jour du carnaval, ils retournent prendre part à la parade sur le Corso. De sa voiture, Albert aperçoit une belle fille qui semble le regarder beaucoup. Quand il passe devant elle, elle lui jette une rose qu'il place en souriant sur son cœur. La belle fille lui fait signe. Albert s'excuse près de ses amis, descend de voiture et s'avance vers elle. Mais elle, passant rapidement près de lui, murmure:

— Ce soir, ici, à onze heures.

5   Puis elle disparaît dans la foule.

Albert, le cœur plein de joie, revient près de ses compagnons, mais il ne leur dit rien de son aventure. Le soir, il s'excuse près du comte qui l'a invité à l'accompagner au théâtre et va au rendez-vous retrouver la jeune fille.

10   Elle n'est pas encore arrivée. . . . Albert attend . . . il attend longtemps. . . . Tout à coup on entend un son de cloche (the ringing of a bell). C'est le signal que le carnaval est fini. En un instant, la foule se disperse et la rue, tout à l'heure pleine de bruit, de lumières et d'animation, devient soudain obscure

15   et déserte.

La belle fille n'est toujours pas là. . . . Albert commence à regretter son imprudence.

Soudain, derrière lui, une voix menaçante lui dit:

— Pas un mot ou vous êtes mort!

20   Albert se retourne et se voit entouré d'une petite troupe d'hommes à l'aspect menaçant. Ce sont les bandits du fameux Luigi Vampa, qui en ce moment terrorisent la ville de Rome.

Albert ne résiste pas. Il sait que les bandits capturent les

25   gens pour leur faire payer une rançon et que l'on n'est pas en danger tant que l'on ne résiste pas. Mais il sait aussi que ces bandits sont implacables et que la mort du prisonnier est certaine si l'argent n'arrive pas à l'heure spécifiée.

Albert suit donc les bandits sans résistance.

30   Lorsque Frantz revient du théâtre, il est très surpris de ne pas trouver Albert dans sa chambre. Il l'attend pendant quelque temps puis il décide d'aller se coucher.

Quelqu'un frappe à la porte: c'est maître Pastrini qui entre, une lettre à la main:

35   — Les bandits, Votre Excellence, murmure le brave homme avec consternation.

— Les bandits? répète Frantz sans comprendre, quels bandits?

---

onze heures
eleven o'clock
la foule
the crowd

va retrouver
goes to meet

tout à l'heure
a moment ago

menaçante
threatening

se retourne
turns around

une rançon
a ransom
tant que
as long as

aller se coucher
to go to bed

sans comprendre
without understanding

Sans répondre, Pastrini lui montre la lettre qu'il apporte. Frantz l'ouvre et lit:

« Cher ami:

Je suis tombé entre les mains du redoutable Luigi Vampa. Il a fixé ma rançon à quatre mille piastres. Faites votre possible pour vous procurer cette somme avant six heures du matin ou je suis un homme mort.

Albert de Morcef»

Sur la même feuille, le bandit a ajouté lui-même quelques mots en italien:

«Se alle sei della mattina le quattro mille piastre non sono nelle mie mani, alle sette, il conte Alberto avrà cessato di vivere.[1]

Luigi Vampa»

sur lui
with him
que faire?
what to do?

Frantz est désolé; il n'a pas la somme demandée sur lui et à cette heure les banques sont fermées. Que faire? Soudain il pense à son voisin, le comte de Monte-Cristo. Il se rend chez le comte et frappe à la porte de son appartement:

— Ali, demande-t-il au domestique qui vient lui ouvrir, est-ce que votre maître est allé se coucher?

— Pas encore, Votre Excellence.

recevoir
to receive

— En ce cas, demandez-lui s'il consent à me recevoir.

Le domestique revient un instant après et dit:

— Monsieur le comte va recevoir Votre Excellence.

— Mon cher ami, dit le comte en s'avançant vers Frantz, qu'est-ce que je peux faire pour vous?

en disant
saying

Frantz lui montre la lettre d'Albert en disant:

— Voici la lettre que je viens de recevoir.

ton
tone of voice

— Ah! dit le comte d'un ton grave, votre ami est en danger. Avez-vous la somme demandée?

— Non, dit Frantz, et c'est pour cela que je m'adresse à vous. A cette heure, les banques sont fermées.

Monte-Cristo le regarde avec consternation:

[1] "If the 4000 piastres are not in my hand by 6 A.M., at 7 the viscount will die."

— Mon pauvre ami, vous m'en voyez désolé, mais je n'ai pas cette somme sur moi. Durant le carnaval et avec Luigi Vampa à Rome ce n'est pas prudent d'avoir beaucoup d'argent sur soi (with you).

5 Frantz est devenu très pâle:

— Mais alors, s'écrie-t-il, Albert est perdu!

Le comte semble réfléchir un instant, puis il dit:

— Il n'y a qu'une chose à faire, c'est d'aller trouver Luigi Vampa. Voulez-vous m'accompagner chez les bandits?

aller trouver
to go to

10 — Mais où sont-ils?

— Je ne sais pas exactement, mais l'homme qui vous a apporté la lettre va nous le dire.

Ils sortent de l'hôtel et le comte aperçoit un individu devant la porte:

15 — Ah! c'est toi, Peppino? dit-il; monsieur et moi, nous allons t'accompagner chez mon ami Luigi Vampa.

— Comment! dit Frantz, très surpris, vous connaissez Luigi Vampa?

comment!
what!
vous connaissez
you know

— Oui, dit le comte; un jour je lui ai sauvé la vie, et depuis

20 ce temps-là, il est resté mon ami. C'est quelquefois très utile, ajoute-t-il avec un sourire sardonique, d'avoir un bandit comme ami.

quelquefois
sometimes
utile
useful

Monte-Cristo dit quelques mots en italien à Peppino qui lui répond d'un signe de tête, puis il demande sa voiture.

25 — Connaissez-vous les catacombes de Saint-Sébastien? demande-t-il à son ami.

— Non, monsieur, je sais où elles sont, mais je ne suis pas allé les visiter.

— Vous avez bien fait (you did right); c'est une excursion

30 assez dangereuse à faire en ce moment pour l'excellente raison que Luigi Vampa et ses bandits y ont établi leur camp pendant la saison du carnaval. C'est là où votre ami a été transporté.

assez
rather

On arrive bientôt devant l'entrée des catacombes. Le

35 comte et Frantz descendent de voiture et, précédés de leur guide, ils traversent de longs passages très obscurs. Enfin ils arrivent à une sorte de caverne qui forme le centre des catacombes.

une vingtaine
a score
bien du
much

tout le monde
everybody

promis
promised

enlevé
abducted

— Qui vive? (who goes there?) crie une voix, et ils se trouvent immédiatement entourés d'une vingtaine de bandits.

— Eh bien! dit Monte-Cristo d'une voix calme, voilà bien du bruit pour recevoir un ami.

— Comment! c'est vous, monsieur le comte? dit Vampa 5 très surpris. Je vous demande pardon de vous accueillir de cette manière, mais nous sommes obligés de prendre quelques petites précautions. Tout le monde, ajoute-t-il avec un sourire, n'est pas le bienvenu (welcome) comme vous.

— Luigi, dit le comte d'un ton grave, ne m'avez-vous pas 10 promis de respecter ma personne et celle de mes amis?

— Certainement, monsieur le comte.

— En ce cas, voulez-vous m'expliquer pourquoi vous avez enlevé le vicomte de Morcef qui est un de mes amis?

— J'en demande bien pardon à Votre Excellence, mais on a 15 fait une erreur. On a enlevé ce jeune homme sans savoir que c'était un de vos amis. J'en suis désolé.

— Mais, dit Frantz avec une certaine anxiété, où est le prisonnier?

— Monsieur de Morcef est là, dit Vampa en lui montrant la 20 porte d'une chambre; je vais lui annoncer moi-même qu'il est libre.

Tout le monde suit Vampa qui ouvre la porte de la prison d'Albert. Celui-ci, étendu sur son lit, dort profondément.

— Eh bien! dit le comte en souriant d'admiration; pour un 25 homme certain de mourir à sept heures du matin, cela montre du courage.

Luigi Vampa secoue Albert qui ouvre les yeux et le reconnaît:

— Ah! c'est vous, monsieur le bandit; que me voulez-30 vous?

— Je viens vous dire que vous êtes libre.

— On a donc payé ma rançon?

— Non.

— Non? alors à quoi dois-je attribuer ma liberté? à un 35 soudain mouvement de générosité de votre part?

— Monsieur, dit gravement Vampa, votre mort était certaine, mais un de mes amis, à qui je ne peux rien refuser,

vient de me demander votre liberté et c'est à lui que je la
donne.

— Oh? dit Albert, surpris, et qui est donc cet excellent ami?

— Le voici, dit Frantz, en présentant le comte.

5 — Comment! c'est vous monsieur le comte! s'écrie Albert
d'une voix émue. Vous venez tout simplement de me sauver
la vie, car ces bandits ne plaisantent pas (do not joke) avec **car**
for
leurs prisonniers. Brrh!

— Allons! dit le comte, partons.

10 — Peppino, dit Vampa, une torche! je vais moi-même **reconduire**
to escort
reconduire ces messieurs.

Vampa reconduit le comte et ses amis; mais, avant de
partir, le comte, qui est resté en arrière, donne discrètement **en arrière**
behind
quelques pièces d'or à Vampa. Le bandit sourit: la petite
15 comédie, arrangée par le comte, est finie, car c'est Monte-
Cristo lui-même qui a demandé à Luigi d'enlever Albert.
Le bandit ne comprend pas pourquoi il a fait cela, mais ce
n'est pas son affaire: le comte est généreux et paie bien.

Rentrés à l'hôtel, Albert remercie le comte avec émotion.

20 — Monsieur le comte, dit-il, je vous dois la vie et je ne sais
comment vous remercier. Mais soyez sûr (rest assured) que
mes parents et moi, nous vous sommes profondément obligés.
Est-ce que nous pouvons faire quelque chose à notre tour pour
vous montrer notre gratitude?

25 — Mon cher Albert, dit Monte-Cristo, puisque vous me
l'offrez de si bon cœur, j'accepte. Vous pouvez me rendre un
grand service.

— Lequel (what)? demande Albert joyeusement.

— J'ai l'intention d'aller à Paris dans quelques mois, mais **le monde**
society
30 je n'y connais personne pour me présenter dans le monde.
Voulez-vous me présenter à vos amis?

— Certainement, dit Albert. Je vais écrire immédiatement à
ma mère pour lui raconter mon aventure et ce que vous avez **mère**
mother
fait pour moi. Je suis sûr qu'elle et mon père seront (will be)
35 très heureux de vous recevoir et de vous présenter à leurs amis.

— Merci, Albert, dit le comte. Et maintenant, allez dormir.
Vous en avez besoin après les fatigues et les émotions de cette **cette nuit**
tonight
nuit.

Resté seul, Monte-Cristo murmure:

difficile
difficult

— Enfin! le plus difficile est fait. Albert va me présenter à ses parents et je vais entrer dans la maison même de mon ennemi. Et elle . . . je vais la revoir . . . Mercédès. . . .

Et le comte tombe dans une méditation profonde.   5

Chapitre XIII

La visite

Depuis quelque temps, le comte de Monte-Cristo est le sujet de toutes les conversations dans les salons de la capitale et on attend son arrivée avec une certaine curiosité. Il faut avouer (one must confess) que la manière dont cette arrivée a été
5 annoncée justifie cet intérêt. Il a fait acheter un superbe hôtel près des Champs-Élysées et l'a fait redécorer par les meilleurs artistes de Paris. On parle de salons somptueux, d'objets d'arts rares et précieux, de millions dépensés pour une installation de quelques mois. Devant les dames, Albert de
10 Morcef le représente comme un homme fabuleux, un enchanteur des *Mille et une Nuits.* Jeune encore, dit-il, et beau comme les héros de Byron, il a un air profondément mélancolique comme ceux que le malheur a frappés. Il est pâle et son sourire est quelquefois sinistre; mais ses manières sont
15 nobles et fières et sa voix, tour à tour caressante ou impérieuse sait captiver et charmer. Les dames écoutent Albert absolument fascinées. Elles demandent toutes qu'il leur présente cet homme extraordinaire et mystérieux. Grâce aux dames, tous les salons vont s'ouvrir devant Monte-Cristo.
20 Albert, très fier de son importance, explique que le comte lui a promis de venir déjeuner chez lui le jour même de son arrivée à Paris. Il a invité à ce déjeuner quelques-uns de ses

salons
drawing rooms

hôtel
mansion, house

dépensés
spent
les dames
the ladies

beau
handsome

ceux que
those whom

fières
proud
tour à tour
by turn

grâce à
thanks to

déjeuner
to lunch
quelques-uns
a few

ceux-ci
the latter
obtenir
to obtain

meilleurs amis. Ceux-ci, pleins de curiosité, sont venus en avance pour obtenir d'Albert quelques renseignements (information) sur le comte de Monte-Cristo.

— D'où vient-il et qui est-il? demande Lucien Debray.

en vérité
to tell you the truth
tout
very much

— En vérité, je n'en sais rien; tout ce que je peux vous dire 5 c'est qu'il était à Rome il y a trois mois, qu'il a tout l'air et les manières d'un grand seigneur (aristocrat), et qu'il semble posséder une fortune immense. Pour le reste, vous allez en juger vous-mêmes au déjeuner.

posséder
to possess

Il raconte alors son aventure dans les catacombes et comment l'intervention du comte lui a sauvé la vie. 10

— Il a payé votre rançon? demande Château-Renaud.

— Non, il a simplement dit deux mots à Luigi Vampa, et celui-ci lui a accordé ma liberté.

— Avec toutes ses excuses? continue Château-Renaud 15 ironiquement.

— Exactement, répond Albert.

On proteste que le vicomte exagère, mais son ami Frantz d'Épinay affirme que tout ce que raconte Albert est vrai.

A une heure exactement, on entend le bruit d'une voiture 20 qui s'arrête devant la porte. On regarde discrètement derrière

les rideaux
the curtains

les rideaux de la fenêtre: c'est le comte qui arrive dans un splendide équipage (horses and carriage). Les beaux chevaux anglais sont l'objet de l'admiration des amis d'Albert, et Lucien Debray murmure qu'il les reconnaît et que Drake a refusé 25 de les vendre, il y a huit jours, pour vingt mille francs la paire.

Un domestique ouvre la porte et annonce:

— Son Excellence, le comte de Monte-Cristo.

Albert s'avance en souriant vers le comte et après l'avoir 30

salué
bowed to
poliment
politely

salué, il commence les présentations.

A chaque nom prononcé, le comte salue poliment, mais avec une impassibilité tout anglaise. Cependant, quand Albert présente Maximilien Morel, le comte fait un imperceptible mouvement et regarde le jeune homme avec intérêt. 35

les invités
the guests

Le déjeuner est excellent, les invités sont gais, la conversation animée. On ne fait pas de questions à l'étranger mais, quand il parle, on l'écoute avec déférence. Tour à tour amusant et sérieux, il charme ses compagnons de table par son esprit, son érudition, et sa culture de cosmopolite.

Les invités partagent l'opinion d'Albert que le comte de Monte-Cristo est en vérité un grand seigneur (true aristocrat) 5 et son prestige est plus grand que jamais.

Resté seul avec le comte après leur départ, Albert lui dit:

— Monsieur le comte, j'ai annoncé votre visite à mes parents qui sont impatients de vous remercier d'avoir sauvé la vie de leur fils. Voulez-vous me faire l'honneur de m'ac10 compagner chez mon père?

— Certainement, répond le comte poliment.

Albert habite un petit pavillon qui communique avec la maison de ses parents par un long corridor. En entrant dans le vestibule des Morcef, le comte aperçoit un blason (coat of 15 arms).

— Ah! dit-il, ce sont les armes de votre famille?

— Oui, monsieur, répond Albert très fier, ce sont les armes des Morcef. Mon père m'a dit que notre maison était une des plus vieilles et des plus nobles de France.

20 Un sourire furtif passe sur les lèvres de Monte-Cristo:

— Je n'en doute pas, répond-il avec politesse.

Le comte de Morcef attend ses visiteurs dans le grand salon. C'est un homme d'une quarantaine d'années, au visage bronzé, à la physionomie vulgaire et arrogante. Il parle d'une 25 voix pompeuse et ses manières révèlent la vanité du nouveauriche. Il s'avance vers le comte qui est resté immobile et comme paralysé à la porte du salon.

Albert, qui ne s'aperçoit pas de l'émotion extraordinaire de Monte-Cristo, dit à son père:

30 — Mon père, j'ai l'honneur de vous présenter monsieur le comte de Monte-Cristo.

— Monsieur le comte, dit M. de Morcef d'une voix cérémonieuse, madame la comtesse et moi, nous savons que c'est grâce à vous que nous avons encore notre fils. Acceptez, je 35 vous prie, l'assurance de notre profonde gratitude.

Monte-Cristo répond d'un ton froid:

— Monsieur le vicomte exagère beaucoup ce que j'ai fait pour lui. Tout autre, à ma place, aurait fait (would have done)

esprit
wit

habite
lives in
par
through

les lèvres
the lips

une quarantaine
around forty

je vous prie
I beg of you

froid
cold
tout autre
anyone else

aucune
no

s'apercevoir de
to notice
la froideur
the coldness

plaisir
pleasure

elle veut bien
she is willing

offrir
to offer

celle-ci
the latter

exactement la même chose, et vous ne me devez aucune gratitude pour cet acte de simple humanité.

M. de Morcef ne semble pas s'apercevoir de la froideur de son visiteur. Après l'avoir remercié une fois encore, il continue : 5

— Mon fils nous a dit, monsieur, que vous avez l'intention de passer quelques mois à Paris. J'espère que nous aurons (shall have) l'honneur de vous voir de temps en temps ?

— Je vous remercie beaucoup, monsieur, et j'accepte l'invitation avec plaisir. 10

— Je dois partir dans quelques minutes, ajoute M. de Morcef d'un air important. Je dois faire un discours à la Chambre des Pairs[1] à trois heures. Voulez-vous me faire le plaisir de m'y accompagner ?

— Je regrette beaucoup, monsieur, mais je suis arrivé de 15 Cadix ce matin seulement et je ne suis pas encore allé voir l'installation que mon intendant (steward) doit avoir préparée pour moi. Je vais attendre madame la comtesse, puisqu'elle veut bien me faire l'honneur de me recevoir, mais je dois partir immédiatement après. 20

— En ce cas, monsieur, voulez-vous bien accepter mes excuses ?

— Bien certainement, monsieur.

Le comte de Morcef s'avance vers le comte de Monte-Cristo, mais celui-ci ne semble pas voir le mouvement que 25 M. de Morcef a fait pour lui offrir la main. Embarrassé, M. de Morcef s'arrête et salue le comte cérémonieusement. Celui-ci salue à son tour avec la plus grande politesse, le visage impassible et froid.

Après le départ de M. de Morcef, Monte-Cristo parle un 30 instant avec Albert en attendant l'arrivée de Mme de Morcef.

— Ah ! dit enfin Albert, voici ma mère.

Monte-Cristo se retourne et aperçoit la comtesse. Celle-ci s'est arrêtée à la porte en entendant la voix de Monte-Cristo et semble agitée d'une violente émotion. Le comte s'avance 35

---

[1] Chambre des Pairs, from 1814 to 1848, the higher of the two legislative houses, the members of which were called Pairs (Peers of the realm).

vers elle et la salue avec respect. Elle le regarde un instant et devient soudain pâle comme la mort :

— Ma mère, dit Albert en se précipitant à son secours, qu'avez-vous[2] donc ?

5 — Rien, dit-elle d'une voix tremblante, mais ce n'est pas sans émotion que je vois devant moi l'ami généreux auquel je dois la vie de mon fils, ajoute-t-elle avec effort.

auquel
to whom

Puis s'adressant directement au comte :

— Je vous remercie, monsieur, de tout mon cœur de mère,
10 et je remercie Dieu qui vous a faits amis, mon fils et vous.

Le comte, plus pâle encore que madame de Morcef, la salue de nouveau, sans répondre.

Albert regarde tour à tour sa mère et le comte de Monte-Cristo, stupéfait. L'agitation extraordinaire de sa mère, le
15 tremblement imperceptible des lèvres du comte, toujours si calme et impassible, le troublent sans savoir pourquoi. Enfin, après un long silence devenu presque intolérable, le comte dit adieu à la comtesse, et accompagné d'Albert, il sort du salon.

stupéfait
astounded
le tremblement
the trembling

presque
almost

20 Albert reconduit Monte-Cristo à sa voiture. Au moment de monter en voiture, le comte lève la tête et regarde la fenêtre du salon des Morcef. Est-ce une illusion ? il lui semble qu'un mouvement imperceptible fait trembler le rideau de la fenêtre. . . .

25 Il donne son adresse au domestique et la voiture part au galop.

Quand Albert rentre au salon, il trouve sa mère pâle et frissonnante, les yeux hagards :

— Ma mère ! s'écrie-t-il alarmé, qu'avez-vous donc ? Vous
30 êtes pâle comme une morte ; on dirait (one would say) que vous venez de voir un spectre.

frissonnante
shivering

— Un spectre, en effet, murmure la comtesse.

Après un long silence, elle demande à son fils :

— Albert, qu'est-ce donc que ce comte de Monte-Cristo ?
35 — Oh ! c'est un homme remarquable, absolument unique. Il a voyagé par toute l'Europe et l'Asie, mais c'est la première fois qu'il vient en France.

qu'est-ce donc que
who is

[2] **qu'avez-vous** what is the matter with you

— En êtes-vous sûr? Il parle comme un Français, sans accent.

— Je sais; mais les Italiens croient qu'il est Italien, les Anglais qu'il est Anglais. On ne sait rien de ses origines mais ce qui est sûr, c'est que c'est un grand prince, que son éduca- 5 tion est parfaite et sa fortune fabuleuse.

— Quel peut être l'âge du comte? demande madame de Morcef comme si cette question était d'une grande importance pour elle.

— Personne ne sait. Il a l'air d'avoir une expérience vieille 10 comme le monde, mais il a le physique d'un homme jeune encore, trente-cinq ans tout au plus.

— Trente-cinq ans, se dit-elle, non ce ne peut être lui.

Mais son instinct de mère est alarmé:

— Albert, dit-elle frissonnante, vous dites que cet homme est 15 votre ami?

— Je le crois, madame.

— Albert, mon enfant, ne fréquentez pas trop le comte de Monte-Cristo. Je ne sais pas pourquoi, mais j'ai peur de lui.

— Peur de lui? s'écrie Albert, peur d'un homme qui m'a 20 sauvé la vie? Ma mère, pourquoi dites-vous cela?

— Albert, avez-vous regardé cet homme attentivement? Avez-vous regardé dans ses yeux? C'est un spectre, vous dis-je, continue-t-elle avec agitation, un spectre qui apporte la mort avec lui. 25

Albert regarde sa mère, stupéfait:

— Ma mère, dit-il, expliquez-moi. . . .

Mais la comtesse ne l'entend pas. Pâle et tremblante, elle semble perdue dans une méditation douloureuse.

— Décidément, se dit Albert, voilà un homme bien re- 30 marquable pour avoir fait une pareille impression à ma mère.

---

croient
believe

parfaite
perfect

le monde
the world
trente-cinq
thirty-five
tout au plus
at the most

trop
too much

Chapitre XIV

Le crédit illimité[1]

Le lendemain, vers deux heures, la voiture du comte de Monte-Cristo s'arrête devant la porte de l'hôtel du baron Danglars. Le comte de Monte-Cristo descend de voiture et demande si monsieur le baron Danglars peut le recevoir. Un
5 domestique le fait entrer dans un riche salon et va annoncer sa visite au baron qui arrive immédiatement. Celui-ci salue le comte qui salue à son tour avec une froide politesse.

— C'est à monsieur le comte de Monte-Cristo que j'ai l'honneur de parler? demande Danglars.

10 — A lui-même, monsieur.

— Monsieur le comte, j'avais justement l'intention d'aller vous voir moi-même. La maison Thomson & French vient de m'envoyer une lettre vous concernant que je ne comprends pas très bien.

                    vient d'envoyer
                    has just sent

15 — Comment cela, monsieur le baron?

— Cette lettre ouvre au comte de Monte-Cristo un crédit illimité sur ma maison de banque.

                    illimité
                    unlimited

— Eh bien! monsieur, qu'y a-t-il que vous ne comprenez pas?

— Le mot illimité, monsieur . . . le terme est si vague. . . .

20 — Cependant monsieur, si je ne sais de quelles sommes je peux avoir besoin?

[1] **crédit illimité** unlimited credit

67

— Oui, oui, je comprends, mais . . . supposez que vous me demandiez (that you should ask) une somme énorme . . . extravagante . . . un million par exemple, dit-il avec un gros rire, dois-je vous le donner ?

Et le baron regarde le comte d'un air ironique.   5

— Un million ? s'écrie le comte, affectant un air de profonde surprise, un million ? Mais monsieur, je ne fais pas ouvrir un crédit pour une aussi petite somme. Un million ! Que voulez-vous que je fasse[2] d'un million ? J'ai toujours un million sur moi en cas de besoin.   10

Et Monte-Cristo montre à Danglars deux bons au porteur (cashier checks) de cinq cent mille francs chacun.

Le banquier regarde Monte-Cristo avec des yeux stupides de surprise.

— Je vois que vous hésitez, dit le comte ; peut-être n'avez-   15 vous pas les ressources nécessaires ?

— Oh ! dit Danglars avec un rire plein de vanité, la maison Danglars est solide, monsieur.

— Alors, vous n'avez peut-être pas confiance en la maison Thomson & French ? En ce cas, voici deux lettres pareilles à   20 celle que vous avez et qui m'ouvrent chacune un crédit illimité sur deux autres banques. Celle-ci est de la maison Baring de Londres sur la banque Lafitte et celle-là de la maison Arstein & Eskeles de Vienne sur la banque Rothschild. Dites un mot, monsieur, et je vais m'adresser à l'une de ces   25 banques.

Le banquier ouvre d'une main qui tremble visiblement les deux lettres que lui montre le comte. Il vérifie les signatures et dit d'un ton plein de respect :

— Ah ! monsieur, voilà trois signatures qui représentent   30 bien des millions. Trois crédits illimités sur nos maisons ! La chose est assez extraordinaire pour excuser ma surprise.

— Alors, dit le comte, vous avez confiance en ces signatures et, ajoute-t-il avec un petit sourire, en la mienne ?

— Oh ! monsieur le comte, dit Danglars devenu soudain   35 très obséquieux, j'ai absolument confiance en vous. Je vais

une aussi petite such a small

chacun each
le banquier the banker

peut-être perhaps

n'avez pas confiance en do not trust

bien des many
assez enough
la mienne mine

[2] **que voulez-vous que je fasse de**   what do you want me to do with

vous ouvrir immédiatement un crédit illimité sur la banque
Danglars. Cependant . . . pouvez-vous me donner approximativement une idée de la somme que vous désirez pour vos
besoins immédiats ?

5   — C'est difficile à dire, monsieur. C'est la première fois
que je viens à Paris et je n'ai aucune idée de ce que je vais
avoir à dépenser . . . cependant . . . il me semble qu'une
somme de six millions pour la première année . . .

— Six millions ! répète Danglars, suffoqué (flabbergasted),
10 six millions !

— Oui, et pour commencer, envoyez-moi, je vous prie, cinq
cent mille francs demain avant dix heures.

— Certainement, certainement, répond le baron d'un ton
machinal (mechanical), tandis qu'il se répète : six millions !

15 Le comte se lève alors pour partir, mais le baron l'arrête   **se lève**
d'un geste et lui dit :   rises

— Monsieur le comte, madame la baronne, qui sait que
vous êtes ici, a manifesté le désir de vous voir. Voulez-vous me
permettre de vous présenter ?   **permettre**
                                                               allow
20 — Avec plaisir, dit le comte ; et il suit le baron qui le
conduit aux appartements de madame Danglars.

Quelques dames sont en ce moment dans le salon. Le baron
présente le comte de Monte-Cristo à la baronne qui le présente
ensuite à ses amies.

25 Il se fait un silence ; toutes les dames examinent furtivement **il se fait**
le comte de Monte-Cristo qui leur dit en souriant :   there is

— Mesdames, continuez, je vous prie, votre conversation.   **mesdames**
                                                                 ladies
— Madame de Villefort, dit la baronne, en indiquant d'un
signe une jeune dame blonde et charmante, nous donnait,   **nous donnait**
30 quand vous êtes entré, les derniers détails sur un fameux cas   was giving us
d'empoisonnement. C'est le cas de la femme Barier qui a   **empoisonnement**
empoisonné trois personnes de la famille de son mari pour   poisoning
obtenir leur argent. Vous savez sans doute, ajoute madame   **empoisonné**
Danglars, que le mari de madame de Villefort est procureur   poisoned
                                                                 mari
35 du roi et que c'est lui qui est chargé de l'affaire ?   husband

— En effet, dit Monte-Cristo, l'affaire est dans tous les   **les journaux**
journaux. Un cas d'empoisonnement avec de l'arsenic, n'est-ce   the newspapers
pas ? Ce que je ne comprends pas, ajoute-t-il, c'est qu'un

employer
to use

retrouver
find

dont
of which
une goutte suffit
a drop suffices
à plus forte
a stronger

criminel soit (should be) assez stupide pour employer l'arsenic.

— Pourquoi cela ? demande madame Danglars.

— Parce qu'on peut toujours retrouver les traces de ce poison.

— Mais, dit madame de Villefort, est-ce que tous les poisons   5
ne laissent pas une trace ?

— Pas tous, madame. En Orient, où la science des poisons est très avancée, on connaît des poisons subtils qui n'en laissent pas. Voyez, dit-il, en montrant une petite fiole (phial), voici un élixir dont la base est *l'aqua-tofena*. Une goutte suffit   10
pour arrêter en un instant une attaque cardiaque, mais à plus forte dose, c'est un poison terrible. *L'aqua-tofena* empoisonne avec tous les symptômes de l'apoplexie, et comme elle ne laisse aucune trace, le médecin, s'il n'a pas de soupçons, attribue généralement la mort de la victime à des causes   15
naturelles.

— Je suppose, dit madame de Villefort avec son plus charmant sourire, que personne ne peut acheter ce terrible poison ?

— Oh! pour cela, non![3] dit le comte en riant. *L'aqua-tofena* était le secret des Borgia, et cet élixir a été préparé spécialement   20
pour moi par un vieil Italien qui en a retrouvé le secret. C'est une chose curieuse, ajoute-t-il, que cet élixir, qui m'a sauvé la vie plusieurs fois, pourrait (could), entre des mains ignorantes ou criminelles, causer la mort de cent personnes.

Les dames demandent à voir le fameux élixir, et la petite   25
fiole (phial) passe de mains en mains. . . .

Cependant la conversation continue, animée, brillante. Le comte captive toutes les dames par son charme et sa galanterie et il reçoit une avalanche d'invitations. Souriant, il écrit les dates, les adresses . . . ne refusant aucune invitation. Mais on   30

viennent chercher
are coming for

annonce l'arrivée des voitures qui viennent chercher ces dames. Avec un dernier sourire pour le comte, elles disent adieu à madame Danglars et sortent du salon.

Après leur départ, le comte reste un moment encore avec madame Danglars, puis il se lève pour partir lui aussi. Soudain,   35

partout
everywhere
a disparu
has disappeared

il pense à l'élixir . . . où est-il ? On le cherche partout, mais en vain ; le poison a disparu.

[3] **pour cela, non**   as for that, no

Le lendemain, tout Paris sait, grâce à M. Danglars, que le comte de Monte-Cristo a décidé de passer un an à Paris, qu'il va dépenser six millions et donner des fêtes splendides. Tout le monde veut l'inviter; il n'y a pas un bal, pas un dîner, pas une
5 réception sans lui. Il a réussi à captiver les imaginations; il est devenu l'idole des Parisiens.

Lui, cependant, reste impénétrable. Toujours affable et correct, souriant de ce sourire pâle et énigmatique qui a fait si peur à madame de Morcef, il va partout, de salon en salon,
10 sans se faire d'amis, sans permettre à personne de pénétrer dans son intimité (private life), de connaître l'homme sous le masque.

a fait si peur à
frightened so much

Trois mois après son arrivée, le comte et la comtesse de Morcef donnent un bal auquel le comte de Monte-Cristo est
15 invité. Celui-ci, qui n'est pas retourné chez eux depuis sa première visite, accepte leur invitation.

Le soir du bal, il arrive chez les Morcef vers dix heures. La plupart des invités sont déjà là, et le bruit des conversations, des rires discrets remplit les salons d'un murmure joyeux.

la plupart
most of

20 Soudain, un laquais annonce:

— Monsieur le comte de Monte-Cristo!

Il se fait un silence; tous les yeux se tournent vers le comte qui s'avance lentement, un sourire aux lèvres, sans paraître s'apercevoir que tous les regards sont fixés sur lui.

sans paraître
without seeming

25 Madame de Morcef, très pâle, sourit au comte qui s'incline devant elle avec respect. M. de Morcef le reçoit cordialement et, fier de la présence du comte dans ses salons, il l'emmène pour le présenter à ses invités.

s'incline
bows to

La comtesse suit le comte des yeux. . . . Un laquais passe
30 dans le salon, offrant des rafraîchissements (refreshments); quand il se tourne vers Monte-Cristo, celui-ci refuse avec un imperceptible mouvement de répulsion.

il se tourne
he turns toward

Madame de Morcef appelle son fils:

— Albert, dit-elle, je pense à une chose. . . .

35 — A quoi donc, ma mère?

— C'est que le comte n'a jamais accepté de dîner chez M. de Morcef.

— Mais il a accepté de venir déjeuner chez moi.

— Chez vous, ce n'est pas chez le comte . . . et depuis qu'il est ici, je l'observe . . .

— Eh bien?

— Eh bien! il a refusé tous les rafraîchissements (refreshments). . . .

— Le comte mange très peu.

Madame de Morcef secoue la tête:

— Ce n'est pas la raison, dit-elle, mais je veux être sûre.

Elle s'approche de Monte-Cristo:

— Monsieur le comte, dit-elle, voulez-vous me faire le plaisir de m'offrir votre bras pour aller au jardin?

Le comte pâlit; un moment, il regarde la comtesse comme s'il avait l'intention de refuser, puis, sans rien dire, il lui offre le bras.

Ils traversent les salons et vont dans les jardins. Madame de Morcef s'approche d'une table où l'on a placé des fruits superbes. Elle prend une pêche (peach) et l'offre au comte.

— Madame, dit le comte en s'inclinant, je vous prie de m'excuser, mais je ne mange pas de fruits.

— Monsieur, dit-elle d'une voix tremblante, il y a une touchante tradition chez (among) les Arabes qui fait amis éternellement ceux qui ont mangé ensemble le pain et le sel. . . .

— Je la connais, madame, mais nous ne sommes pas chez les Arabes; nous sommes en France où les amitiés ne sont pas éternelles.

— Mais . . . dit la comtesse d'une voix pleine d'anxiété, nous sommes amis, n'est-ce pas?

Le comte devient plus pâle encore . . . son bras tremble contre celui de la comtesse . . . mais en un instant, son visage redevient un masque impénétrable, et c'est d'un ton de politesse froide qu'il répond:

— Certainement, madame, pourquoi pas?

Ils continuent leur promenade; enfin, après un long silence, madame de Morcef demande timidement:

— Monsieur, on m'a dit que vous avez beaucoup voyagé et . . . beaucoup souffert?

— J'ai beaucoup souffert, oui, madame.

bras
arm
jardin
garden
pâlit
turns pale

ensemble
together
le pain et le sel
bread and salt

les amitiés
friendships

promenade
walk

souffert
suffered

— Mais vous êtes heureux maintenant?

— Heureux? Qui peut se dire heureux?

— Vous vivez . . . seul?

— Je vis seul.

vous vivez
you live

5 — Vous n'avez pas de famille? pas de père . . . de fils?

— Je n'ai personne. J'avais un père: il est mort de chagrin. J'avais des amis: ils m'ont trahi. J'avais une fiancée: elle m'a abandonné.

trahi
betrayed

Tremblante, la comtesse murmure:

10 — Lui avez-vous pardonné?

— A elle? oui.

— Mais à elle seulement? Vous n'avez pas pardonné à ceux qui vous ont séparé d'elle?

pardonné
forgiven

Le comte ne répond rien. Son visage est devenu soudain dur

15 et fermé. La comtesse frissonne:

frissonne
shivers

— Rentrons, dit-elle.

Chapitre XV

On nous écrit de Janina...

Albert de Morcef vient un jour faire une visite au comte de Monte-Cristo. En entrant dans le salon, il trouve le comte en conversation avec une jeune femme d'une beauté remarquable. Discrètement, il s'est arrêté à la porte en voyant cette dame, mais le comte s'écrie en souriant : 5

— Ah! mon ami, entrez donc! Je veux vous présenter à madame.

— Haydée, dit-il en se tournant vers la jeune femme, permettez-moi de vous présenter monsieur le vicomte de Morcef.

aimable
amiable
porte à ses lèvres
raises to his lips

La jeune femme sourit d'un air aimable et offre au vicomte 10 une main charmante qu'il porte à ses lèvres.

— Haydée, explique Monte-Cristo, est ma jeune protégée. Elle habite chez moi, mais elle ne va pas dans le monde, ce qui explique pourquoi vous ne l'avez pas encore rencontrée. Haydée a beaucoup souffert dans sa vie et elle est devenue un 15 peu misanthrope. Pauvre petite! son histoire est bien triste; voulez-vous l'entendre?

Alors, se tournant vers la jeune femme, il lui dit dans une langue (tongue) qu'Albert ne comprend pas :

— Haydée, racontez votre histoire à M. de Morcef, mais, 20 ajoute-t-il, ne lui dites ni le nom de votre père ni le nom de l'officier français.

74

Haydée commence son récit d'une voix triste :

— Je suis, dit-elle, la fille d'un grand vizir. Pendant la
guerre avec les Turcs, mon père avait demandé au gouvernement français de lui envoyer quelques officiers pour comman-
5 der ses troupes. Parmi ces officiers, il y en avait un que mon
père préférait et en qui il avait toute confiance. La ville de
Janina était alors notre forteresse la plus formidable. Mon père
y avait fait transporter ses trésors et nous avait laissées, ma
mère et moi, sous la protection de l'officier français.

10 Une nuit, nous sommes réveillées par un grand tumulte
dans les rues. Le bruit se rapproche du palais (palace). On
entend des cris . . . des portes s'ouvrent et se referment. . . .
Tout à coup, nos domestiques font irruption dans (burst in)
notre chambre, hagards et pâles de terreur :

15 — Les Turcs, disent-ils, les Turcs sont là !

— Impossible, s'écrie ma mère ; les portes de la ville sont
fermées, nos soldats sont sur les murs, et nous sommes sous
la garde d'un brave officier français !

Hélas ! à peine ma mère a-t-elle prononcé ces mots que les
20 Turcs sont devant elle. Ils massacrent nos domestiques et nous
sommes faites prisonnières. . . .

— Mais où est donc l'officier français ? dit ma mère ; nous
a-t-il abandonnées ou est-il mort en nous défendant ?

Les Turcs se mettent à rire. Ils disent que c'est l'officier
25 lui-même qui leur a ouvert les portes de la ville ! Bientôt le
traître arrive. Il conduit les Turcs à la place secrète où l'or
de mon père est caché, et ils se partagent le trésor.

Tremblante d'indignation, ma mère me dit :

— Regarde bien cet homme, mon enfant, regarde-le pour
30 ne jamais oublier ce visage de traître !

On nous a emmenées captives à Constantinople. Ma mère
est morte de chagrin pendant le voyage et je suis restée seule.
On m'a vendue au Sultan comme esclave (slave). C'est alors
que monsieur le comte, dit-elle en regardant Monte-Cristo
35 avec une affection touchante, c'est alors qu'il m'a rachetée
et donné ma liberté.

Mais je ne peux pas oublier cette nuit terrible, ajoute-t-elle
en frissonnant. Je revois toujours cette scène comme au premier

récit
tale

la guerre
the war

parmi
among
préférait
preferred

réveillées
awakened

les portes
the gates
soldats
soldiers
à peine
hardly

a ouvert
has opened
le traître
the traitor

oublier
to forget

on m'a vendue
they sold me

jour, et la nuit, le visage du traître passe devant mes yeux et j'entends encore la voix de ma mère . . . n'oublie pas. . . .

Albert a écouté ce récit le cœur rempli d'une généreuse indignation:

infâme
infamous

— Et qu'a-t-on fait pour punir cet officier infâme qui a 5 déshonoré l'armée française? demande-t-il.

Haydée secoue la tête tristement:

— Il n'y avait plus personne pour dénoncer le traître, dit-elle. Mon père est mort à la guerre et j'étais prisonnière . . . mais, ajoute-t-elle en regardant Monte-Cristo, je suis libre 10 maintenant et j'attends avec impatience le jour où cet homme sera (will be) dénoncé et puni.

— En attendant, dit le comte avec un rire sardonique, le traître est rentré en France avec une immense fortune et comme tout s'achète (can be bought) maintenant, honneurs 15 et distinctions, il est devenu pair de France.

— Mais le nom . . . le nom de cet officier, le sait-on? demande Albert.

souvenirs
memories

Haydée, perdue dans ses souvenirs douloureux, ne semble pas entendre la question. 20

pénibles
painful

— Allons, venez, dit le comte à Albert. Ces souvenirs sont très pénibles à Haydée; elle a besoin de rester seule.

journal
newspaper

Quelques jours après cette visite, Albert en ouvrant son journal, y lit ce qui suit:

«On nous écrit de Janina . . . 25

ne manque pas
does not lack
laquelle
which

Un épisode de la guerre de l'indépendance grecque (Greek) qui ne manque pas d'intérêt vient de nous être révélé. On a toujours été surpris de la facilité avec laquelle la ville de Janina est tombée aux mains des Turcs. Une rumeur circule ces jours-ci dans Paris qui explique pourquoi la ville est 30 tombée si rapidement. Il paraît que la défense de la ville avait

il paraît
it seems
confiée
entrusted

été confiée à un officier français en qui le vizir Ali-Tébelin avait toute confiance. On dit que c'est cet officier qui a ouvert lui-même les portes de la ville aux Turcs et qu'en échange de cette

trahison
betrayal
s'appelait
was called

trahison, les Turcs ont partagé avec lui les trésors d'Ali-Tébelin. 35

Cet officier français qui a déshonoré l'armée française par cette trahison infâme s'appelait Fernand Mondego.»

Albert est devenu livide . . . Mondego! mais c'est le nom de
famille de son père! Est-ce possible! on accuse son père d'être
un traître, un infâme!

— Ah! s'écrie-t-il, je sais qui est responsable de cet article;
5 c'est le comte de Monte-Cristo; c'est lui qui a donné cette
histoire au journal.

Albert se rappelle maintenant de quel air sardonique le
comte l'a regardé quand il lui a dit que le traître était devenu
pair de France.

10 Tremblant d'indignation, il se rend immédiatement à
l'hôtel de Monte-Cristo.

Le comte n'est pas chez lui; il est à l'Opéra. Accompagné
de deux amis, Albert se rend à l'Opéra; il entre dans la loge
(box) du comte.

15 Monte-Cristo, en le voyant, se lève avec un sourire aimable,
mais à peine a-t-il dit un mot qu'Albert l'arrête d'un geste:

— Monsieur le comte, dit-il, je viens vous demander une
explication.

— Une explication? à l'Opéra?

20 Albert parle avec violence et maintenant les personnes
placées dans les loges voisines peuvent entendre tout ce qu'il
dit:

peuvent
can

— Monsieur, continue-t-il, je sais que vous êtes responsable
de l'article qui vient d'être publié (published) dans le journal
25 *L'Impartial.* Cet article qui attaque l'honneur de mon père
et le mien est une infâme calomnie, et je viens vous en demander raison.[1]

le mien
mine

— Ah! dit le comte, toujours impassible, en ce cas je suis
à votre disposition; envoyez-moi vos témoins. Et maintenant,
30 monsieur, sortez! J'aime beaucoup cet opéra et vous faites
tant de bruit que je ne puis l'entendre.

témoins
seconds

tant de
so much
je ne puis
I cannot
heureusement
fortunately

Le ton calme du comte est si plein d'insolence qu'Albert
fait un mouvement pour se jeter sur lui. Heureusement ses
amis sont là; ils l'emmènent hors de la loge, puis ils reviennent
35 arranger les conditions du duel.

Le duel est fixé au lendemain, à dix heures. Le comte,
imperturbable, attend la fin de l'opéra, puis il rentre chez lui.

la fin
the end

[1] Formula used to challenge to a duel.

Une femme est là, dans le salon, qui semble attendre son retour : c'est la comtesse de Morcef.

— Vous ici, madame ! dit le comte stupéfait.

La comtesse s'avance vers lui, et dit d'une voix sourde (toneless) :

tuer
kill

— Edmond, vous ne pouvez pas tuer mon fils.

Monte-Cristo est devenu livide.

— Quel nom avez-vous prononcé là ? murmure-t-il.

le vôtre
yours
vous croyez
you think
reconnu
recognized

— Le vôtre, s'écrie Mercédès, le vôtre que seule je n'ai pas oublié. Ah ! vous croyez qu'une femme qui vous a aimé comme je vous ai aimé peut vous oublier, ne pas vous reconnaître ? Edmond, je vous ai reconnu le jour de votre première visite, au seul accent de votre voix. Edmond, je sais qui vous êtes et c'est pourquoi je vous dis : vous ne pouvez pas tuer mon fils.

— Et pourquoi pas, madame ? demande le comte d'un ton si froid que la pauvre femme en frissonne de terreur.

— Edmond, ayez pitié ! (have mercy !) ne tuez pas mon fils.

— Madame, dit Monte-Cristo avec un calme terrible, vous me demandez d'avoir pitié du fils de Fernand . . . de ce fils qui vient de m'insulter en public. . . .

— Le pauvre enfant vous croit responsable de l'horrible accusation qui déshonore son père.

— Ce n'est pas moi qui déshonore M. de Morcef ; ce sont ses

propre
own

propres actions qui le déshonorent.

— Mais c'est vous qui les avez révélées ! Pourquoi ce désir de vengeance contre Fernand ? Il m'a épousée, c'est vrai, mais

m'a épousée
married me

c'est ma faute. C'était à moi de refuser. C'est moi seule que vous devez blâmer ; Fernand ne vous a rien fait.

— Vous croyez ? eh bien ! écoutez : c'est Fernand qui m'a dénoncé à la police pour me séparer de vous. Regardez, dit-il, en lui montrant la lettre de Fernand, reconnaissez-vous cette

commis
committed

signature ? Oui, c'est Fernand qui a commis cette infamie pour me prendre ma fiancée.

Mercédès chancelle (staggers) sous le choc de cette terrible révélation.

— Mon dieu ! dit-elle, est-ce possible ? Fernand a fait cela ?

— Oui, et cet homme qui a commencé sa vie par une infâme trahison a continué de trahison en trahison. Voilà

l'homme que vous avez épousé, madame; voilà l'homme dont
je vais me venger en tuant son fils.

— Mais c'est mon fils, à moi aussi! mon fils que j'aime, qui
est toute ma vie. Grâce, Edmond! dit-elle en tombant à
5 genoux, grâce pour mon fils! Ah! vous qui savez ce que c'est
que d'être puni quand on est innocent, n'allez-vous pas
hésiter à frapper un innocent pour punir un criminel?

Le comte ne répond rien; sombre et silencieux, il regarde
cette femme à ses genoux, cette femme qu'il a tant aimée
10 autrefois. . . .

— Allons, dit-il enfin, relevez-vous madame, je fais grâce
à votre fils.

Mercédès pousse un cri de joie:

— Alors, ce duel ne va pas avoir lieu?

15 — Ce duel va avoir lieu, madame; vous oubliez que
l'insulte a été faite en public, que le duel est inévitable; seulement, ajoute-t-il avec un sourire amer, au lieu de tuer votre
fils, c'est lui qui va me tuer.

Mercédès ne semble pas entendre ces derniers mots; elle
20 prend la main du comte et la porte à ses lèvres:

— Edmond, dit-elle, vous êtes toujours le même noble cœur.
Vous venez de rendre un fils à sa mère. Soyez béni (God bless
you) Edmond; adieu et merci.

Le comte la regarde partir avec un sourire amer. Comme
25 elle a accepté facilement son sacrifice! Elle n'a pas fait un
mouvement, pas dit un mot quand il a offert sa vie pour celle
de son fils. Et cependant, c'est un sacrifice héroïque qu'il vient
de faire pour elle, car il lui a fait non seulement le sacrifice
de sa vie, mais encore celle de sa vengeance.

30 Le bruit de la voiture de Mercédès qui s'éloigne dans la
nuit le fait sortir de ses pensées douloureuses.

— Ah! murmure-t-il amèrement, pourquoi faut-il qu'il me
reste un cœur![2]

[2] **pourquoi faut-il qu'il me reste un cœur** why must I have
some feeling left

---

me venger
to avenge myself

grâce
mercy
à genoux
on her knees

silencieux
silent
tant
so much

je fais grâce à
I pardon

avoir lieu
to take place

amer
bitter
au lieu de
instead of

venez de rendre
have given back

comme
how

il a offert
he offered
cependant
yet

Chapitre XVI

A la Chambre des Pairs

Le lendemain, un peu avant dix heures, le comte de Monte-Cristo se rend avec ses témoins à l'endroit où l'on doit se battre en duel. Albert n'est pas encore arrivé. Le comte, très calme, attend son adversaire.

A dix heures exactement, on entend le bruit d'une voiture: c'est Albert qui arrive avec ses témoins. On se salue avec une froide politesse. Les témoins sont prêts à donner le signal du combat, quand tout à coup Albert s'avance vers le comte. Il est très pâle et les mots semblent sortir avec difficulté de ses lèvres tremblantes:

— Monsieur le comte, dit-il, ma mère m'a tout dit et je vous prie d'accepter mes excuses.

Les témoins se regardent avec consternation: des excuses! après une insulte faite en public!

— Messieurs, dit Albert qui lit leurs pensées, ne me demandez pas d'explication. Un secret de famille vient de m'être révélé; un secret qui m'oblige à faire des excuses au comte de Monte-Cristo et à refuser de me battre avec lui. Mais, ajoute-t-il, en regardant fixement ses témoins, si quelqu'un doute de mon courage, je suis prêt à me battre avec lui.

Tout cela a été dit d'un ton si plein de dignité que personne ne proteste. Le comte s'avance vers Albert:

endroit place
se battre fight

prêt à ready to

je vous prie I beg you

80

— Monsieur de Morcef, dit-il en s'inclinant, j'accepte vos excuses.

Albert et ses témoins s'éloignent en silence. Le comte le suit d'un regard où l'on peut lire à la fois l'admiration et la
5 pitié. Ainsi donc, Albert n'a pas hésité à faire ce que sa conscience lui ordonnait (ordered) de faire. Il n'a pas reculé devant la pénible obligation de faire des excuses publiques au risque de perdre la considération et l'estime du monde! Il comprend maintenant ce qui s'est passé: pour empêcher le
10 duel entre le comte et Albert, Mercédès a révélé à son fils le terrible secret de la trahison de Fernand. Pauvre Albert! pauvre enfant chez qui (in whom) le respect et l'affection filials viennent d'être tués brutalement! Un innocent, comme le dit sa mère, il va payer pour le criminel . . . est-il donc
15 impossible de punir les uns sans frapper les autres?

Cependant, à l'heure même où Albert présente ses excuses au comte de Monte-Cristo, le comte de Morcef se rend à la Chambre des Pairs. Comme il ne lit pas *L'Impartial* il n'a pas vu l'attaque dirigée contre lui et personne ne lui en
20 a parlé. Seul peut-être dans tout Paris, il ne sait rien. Le scandale, cependant, est énorme. La plupart des pairs sont arrivés en avance et dans les corridors de la Chambre règne une agitation extraordinaire; on se passe le journal de main en main, on lit l'article, on fait des commentaires. . . .
25 M. de Morcef, d'habitude très ponctuel, est en retard ce matin-là, et quand il entre dans la Chambre, la séance (session) est déjà ouverte. Son entrée cause une sensation. Lui, qui en ignore la cause, prend sa place avec le plus grand calme. Le débat continue, mais personne ne fait attention à la
30 discussion. On murmure, on jette au comte des regards pleins d'indignation, on attribue à de l'insolence le calme qu'il affecte pendant les délibérations.

C'est alors qu'un des membres les plus honorables de la Chambre monte à la tribune et dit au milieu du silence général:
35 — Messieurs, j'appelle l'attention de la Chambre sur une chose tellement grave qu'elle engage l'honneur de tous ses membres. . . .

à la fois
at the same time
la pitié
pity
reculé
recoiled
l'estime du monde
people's esteem
empêcher
to prevent

il n'a pas vu
he has not seen

cependant
however
règne
reigns

d'habitude
usually
en retard
late

fait attention
pays attention
jette des regards
cast glances

au milieu de
in the midst of

tellement
so

Aux premiers mots prononcés par l'orateur, tous les yeux se tournent vers le comte de Morcef qui se demande avec une vague inquiétude pourquoi on le regarde si obstinément.

Cependant l'orateur continue:

— Le journal *L'Impartial* vient de publier (has just pub- 5 lished) un article que je demande la permission de lire devant la Chambre. . . .

Aux premiers mots de Janina . . . Ali-Tébelin . . . le comte de Morcef est devenu horriblement pâle. Il écoute, les yeux hagards, l'accusation terrible. 10

Un silence de mort règne dans la Chambre. Devant la révélation de ce crime ignominieux, les collègues du comte le regardent avec indignation.

— L'honneur de monsieur de Morcef, continue l'orateur, et l'honneur de la Chambre des Pairs demandent une investiga- 15 tion immédiate. Monsieur de Morcef accepte-t-il une enquête (inquest)?

— Certainement, répond le comte d'une voix à peine intelligible, et je me mets à la disposition de la Chambre.

La Chambre décide de commencer l'enquête immédiate- 20 ment et de convoquer une séance (session) extraordinaire pour le soir-même.

peu à peu little by little **témoins** witnesses

Peu à peu, le comte reprend courage. Il se dit que l'affaire s'est passée il y a plus de dix ans, qu'il n'y a plus de témoins et qu'il va pouvoir inventer une histoire pour se justifier. Il 25

mentir to lie

va mentir, mentir avec effronterie et forcer ses ennemis au silence.

Lorsqu'il se présente le soir devant la Chambre, il a retrouvé tout son calme. Il affecte l'air d'un homme qui a été injustement calomnié et c'est d'un ton plein de dignité qu'il répond 30 aux accusations.

Cette attitude fait une excellente impression sur ses collègues qui l'écoutent favorablement.

— Messieurs, dit-il simplement, je suis la victime d'une horrible calomnie. Je n'ai pas ouvert les portes de Janina aux 35 Turcs et je n'ai pas trahi la confiance d'Ali-Tébelin. Il m'a

la confiance the trust **jusqu'à** until

honoré de sa confiance jusqu'à sa mort et avant de partir en guerre il a placé sa femme et sa fille sous ma protection.

— Et ces femmes, que sont-elles devenues?

— Je les ai conduites moi-même dans la famille de la jeune femme où elles ont trouvé refuge.

— Tu mens! dit une voix de femme qui semble venir d'une des galeries ouvertes au public; tu mens, Fernand Mondego!

Cette interruption cause une sensation énorme. Tous les regards se tournent du côté d'où vient la voix. Une jeune femme s'est levée . . . c'est elle qui vient d'accuser M. de Morcef de mentir.

— Qui êtes-vous, madame? demande le président d'une voix grave.

— Je suis la fille d'Ali-Tébelin, répond-elle simplement.

Le comte de Morcef pâlit et fait un geste comme pour repousser cette terrible apparition.

Le président invite Haydée à paraître devant la Chambre; d'une voix calme, Haydée commence son récit:

— Cet homme, dit-elle en montrant M. de Morcef, était l'ami de mon père qui l'avait chargé de défendre la ville de Janina contre les Turcs et nous avait placées, ma mère et moi, sous sa protection. Une nuit, les Turcs sont entrés dans le palais (palace) et j'ai vu de mes propres yeux ce traître les conduire à l'endroit où les trésors de mon père étaient cachés.

— Madame, demande le président, pouvez-vous prouver vos accusations?

Un sourire de triomphe passe sur les lèvres de la jeune femme:

— Certainement, dit-elle; voici mon acte de naissance (birth certificate) attestant que je suis la fille d'Ali-Tébelin. Voici l'acte de vente (bill of sale) de ma personne au marchand d'esclaves (slaves) El-Kabbir pour une somme de quatre mille francs. Voyez la signature: Fernand Mondego. Enfin voici l'acte de vente de ma personne, signé par le sultan de Constantinople, au comte de Monte-Cristo, mon maître actuel.

A la vue de ces documents, il se fait un profond silence dans la Chambre. Le comte, pétrifié, regarde Haydée avec des yeux pleins d'une terreur abjecte.

Alors le président, se tournant vers lui, lui demande d'un ton froid:

tu mens
you lie

repousser
to repel

— Monsieur de Morcef, reconnaissez-vous madame pour la fille d'Ali-Tébelin, pacha de Janina?

Le comte fait un dernier effort pour se défendre:

— Non, murmure-t-il d'une voix sourde (toneless); non, tout cela est une invention de mes ennemis pour me **perdre**.

A ces mots, Haydée se retourne vers lui et dit avec un calme terrible:

— Tu ne me reconnais pas, Fernand Mondego? eh bien! moi, je te reconnais. Rappelle-toi les dernières **paroles** de ma mère quand les Turcs nous ont emmenées: «Regarde bien ce traître, mon enfant, m'a-t-elle dit, pour ne jamais oublier son visage.» Et je n'ai jamais oublié ton visage, traître! assassin!

Elle s'avance vers le comte **dont** le visage livide trahit la terreur et la culpabilité. Il fait un geste comme pour la repousser, puis **brusquement**, il sort de la Chambre.

Un instant après, au milieu du profond silence qui s'est fait (which has fallen) dans la Chambre, on entend le bruit d'une voiture qui s'éloigne au galop. . . .

Arrivé chez lui, le comte se rend directement aux appartements de sa femme. Il n'y trouve personne. Il appelle un domestique:

— Où est madame la comtesse? demande-t-il brusquement.

— Madame la comtesse vient de sortir avec monsieur le vicomte. Voici une lettre de madame la comtesse pour monsieur le comte.

Le comte regarde un instant cette lettre qui le remplit, il ne sait pourquoi, d'une **nouvelle** terreur. Enfin il se décide à l'ouvrir et lit:

«Monsieur:

Pour sauver la vie de mon fils, je suis allée prier à genoux le comte de Monte-Cristo de lui faire grâce. Il m'a révélé que Fernand Mondego avait autrefois, par une trahison horrible, envoyé un innocent en prison pour le séparer de sa fiancée. Cette trahison, je ne peux pas la pardonner. Je pars; mon fils, qui est maintenant et par votre faute

---

perdre
to ruin

paroles
words

dont
whose

brusquement
abruptly

nouvelle
new

déshonoré, vient avec moi. Nous partons tous deux, sans savoir ce que nous allons devenir, avec la seule pensée de nous éloigner de cette maison d'infâmie et de nous refaire une nouvelle vie. »

tous deux
together

refaire
make (over)

5 Le comte reste longtemps immobile, écrasé par ce nouveau coup. Ainsi donc, ce secret qu'il a toujours caché à Mercédès vient de lui être révélé après tant d'années ! Mais qui est donc ce Monte-Cristo pour pénétrer ainsi les secrets des cœurs et des familles ? Qui est cet homme qui vient de se montrer tout à

10 coup son ennemi mortel ? Et maintenant qu'il y réfléchit, il est sûr que tout ce scandale de Janina vient de lui.... Haydée n'a-t-elle pas dit qu'il avait racheté sa liberté au Sultan ?

écrasé
crushed
coup
blow

Le comte de Morcef prend une résolution soudaine. Il demande sa voiture et se fait conduire chez le comte de Monte-

15 Cristo.

Monte-Cristo ne semble pas très surpris de cette visite. Il reçoit M. de Morcef debout, avec une politesse froide.

debout
standing

— Monsieur, dit brusquement le comte de Morcef, pour des raisons que j'ignore, il est évident que vous êtes devenu mon

20 ennemi mortel et que vous me poursuivez de votre haine. Vous êtes la cause directe de mon déshonneur et de la ruine de ma maison.

— La cause directe ? dit le comte avec un sourire insolent ; vous vous trompez. La cause directe de cette ruine, ce sont

vous vous trompez
you are mistaken

25 les actions mêmes du comte de Morcef ; je n'en suis que la cause secondaire.

— Mais enfin,[1] monsieur, que vous ai-je donc fait pour que vous me poursuiviez (that you should pursue me) ainsi de votre haine ?

30 — Vous ne vous trompez pas, monsieur. C'est bien la haine qui vous poursuit, une haine profonde, accumulée pendant des années de torture et d'agonie. Ce que je suis et ce que vous m'avez fait, dites-vous ? Regardez-moi bien, monsieur le comte de Morcef . . . s'il est (if there is) un visage qui doit

poursuit
pursues

35 vous poursuivre nuit et jour, c'est bien certainement le visage

---

[1] **mais enfin** but (**Enfin** is often used for emphasis and in that case may be omitted in English.)

de votre première victime, du fiancé de Mercédès, de ce rival que vous avez envoyé en prison. . . .

Et le comte de Monte-Cristo s'avance vers Morcef en le regardant fixement, un sourire de haine et de triomphe sur les lèvres.

Le comte de Morcef recule, frissonnant de terreur, comme à la vue d'un spectre:

— Edmond Dantès! murmure-t-il.

Il sort brusquement, se jette dans sa voiture et crie:

— A l'hôtel! à l'hôtel!

Il rentre dans le vaste hôtel maintenant désert. Sa femme, son fils l'ont abandonné. Il est ruiné, déshonoré, son ennemi triomphe. . . .

— Edmond Dantès, murmure-t-il dans sa terreur; c'est le spectre d'Edmond Dantès qui **s'est levé** pour me punir . . . tout est fini. . . .

Quelques minutes après, on entend, **à travers** les salles désertes de l'hôtel, les répercussions d'un coup de revolver (a shot). Les domestiques se précipitent . . . le comte de Morcef vient de se suicider.

Le lendemain matin, Ali apporte le journal à son maître avec son déjeuner. Sur la première page et en grosses lettres on lit: «Suicide d'un Pair de France.» Le comte **jette les yeux** sur le journal et dit avec un sourire cruel: un!

Margin notes:

s'est levé has arisen

à travers through

jette les yeux casts a glance

Chapitre XVII

Autour d'une succession[1]

Quelques jours après ces événements, on annonce dans les journaux que la marquise de Saint-Méran vient de succomber à une attaque d'apoplexie. Il y a à peine six semaines que M. de Saint-Méran est mort, frappé, lui aussi, d'apoplexie.
5 Ces deux morts, si près l'une de l'autre et si soudaines, ont causé une certaine émotion dans la capitale et sont le sujet de toutes les conversations.

Dans le salon de Monte-Cristo, deux amis, Beauchamp et Château-Renaud, parlent des Saint-Méran et de leur mort
10 soudaine.

— Quel âge avait madame de Saint-Méran? demande Château-Renaud.

— Soixante ans, répond Beauchamp; mais ce n'est pas son âge qui l'a tuée: elle est morte d'apoplexie.
15 — D'apoplexie? s'écrie Monte-Cristo, c'est difficile à croire. Elle était petite et de constitution nerveuse; les apoplexies sont rares dans ces cas-là.

— C'est possible, dit Château-Renaud, mais en tout cas c'est ce que dit le médecin. Et maintenant, voilà mademoiselle
20 Valentine de Villefort en possession d'une fortune considérable, un million je crois.

événements
events

près
close

soixante
sixty

en tout cas
in any case

[1] **autour d'une succession**   concerning an inheritance

grand-père
grandfather

— Fortune qui sera (will be) doublée à la mort de son grand-père paternel, M. Noirtier. On dit que le vieux Noirtier a laissé toute sa fortune à Valentine et rien à son fils, M. de Villefort. Vous savez qu'il déteste son fils à cause de ses opinions politiques, et que c'est pour se venger qu'il laisse 5 toute sa fortune à Valentine.

— Mais alors . . . Édouard, le fils de M. de Villefort, n'a aucune fortune? On dit que la deuxième madame de Villefort n'a pas de fortune personnelle.

— C'est très vrai. 10

— Et que dit M. de Villefort?

ne confie
does not confide

— Rien: le procureur du roi ne confie ses pensées à personne.

— Et madame de Villefort, que dit-elle?

— Oh! elle? elle est furieuse et ne s'en cache pas. Elle a toujours détesté la petite Valentine, et depuis qu'elle sait que 15 le grand-père a favorisé Valentine au détriment d'Édouard, elle peut à peine cacher sa haine . . . vous savez que ce petit Édouard est son dieu. . . .

méchante
evil

— Pauvre Valentine, dit Château-Renaud, sa vie avec cette méchante femme ne doit pas être agréable. 20

protège
protects

Château-Renaud a dit vrai; la vie de Valentine est bien pénible dans cette maison. Heureusement, elle a son grand-père qui la protège et l'aime bien; elle a aussi Maximilien Morel. Le jeune homme l'a demandée en mariage à ses parents, mais madame de Villefort a refusé sous prétexte que 25 Valentine était trop jeune; elle a même refusé à Maximilien la permission de continuer ses visites. M. Noirtier, à qui Valentine a tout confié et qui aime beaucoup Maximilien, l'a invité à venir voir Valentine chez lui. Le pauvre grand-père semble très troublé depuis la mort des Saint-Méran et regarde 30

souvent
often
un après-midi
one afternoon
il fait chaud
it is hot
un verre
a glass

souvent la jeune fille avec inquiétude.

Un après-midi, Valentine est dans le jardin avec son grand-père et Maximilien Morel. Il fait chaud, et le vieux domestique, Barois, vient d'apporter de la limonade. Valentine accepte un verre de limonade des mains de Barois, mais au 35 moment où elle va le porter à ses lèvres, son grand-père l'arrête d'un geste:

— Barois, demande-t-il, qui a préparé cette limonade?

— Madame de Villefort, monsieur; il fait chaud et madame a envoyé ce breuvage pour vous et mademoiselle.

— Madame de Villefort est bien aimable, dit M. Noirtier, mais nous n'aimons pas la limonade. Apportez-nous un verre d'eau.   **eau** water

Valentine sourit; elle croit que son grand-père a renvoyé la limonade parce qu'il ne veut rien accepter de madame de Villefort. . . .

Quelques moments après, Maximilien se lève pour partir. Tout à coup, Barois paraît à la porte du jardin; le visage convulsé, les yeux hagards, il semble souffrir horriblement: **souffrir** to suffer

— La limonade . . . dit-il avec difficulté . . . la . . . li . . . mo . . . et il tombe mort.

M. Noirtier, Valentine et Maximilien le regardent, frappés d'horreur. Ils comprennent ce qui est arrivé: le pauvre domestique a bu la limonade qui leur était destinée et vient de mourir empoisonné.   **a bu** drank

Depuis leur rencontre chez Albert de Morcef, le comte de Monte-Cristo et Maximilien sont devenus de grands amis.   **rencontre** meeting

Monte-Cristo aime beaucoup le jeune homme et Maximilien sent instinctivement que le comte est son meilleur ami. Quelques jours après la mort de Barois, Maximilien vient voir Monte-Cristo. Il est grave et semble préoccupé.   **sent** feels

— Mon cher Maximilien, qu'avez-vous donc? lui demande le comte avec affection.

— Ah! monsieur, répond le jeune homme, je ne sais pas si je dois vous confier un secret qui n'est pas le mien, mais j'ai besoin des conseils d'un ami.   **conseils** advice

— Parlez, Maximilien, vous savez bien que je vous aime comme un fils.

Maximilien hésite un moment; enfin il se décide à parler.

— Un soir, dit-il, il y a quelques semaines, j'étais caché dans un jardin pour y attendre . . . euh! quelqu'un.

Le comte sourit discrètement.

— Deux personnes, continue Maximilien, sont passées près de moi. Permettez-moi de ne pas vous dire leur nom maintenant. L'une de ces personnes était le maître de la maison, l'autre était un médecin, et voici mot pour mot ce que le médecin a dit :

— Monsieur, voici la deuxième fois que la mort entre dans votre maison dans des circonstances assez mystérieuses. . . . J'ai d'abord attribué ces morts à des causes naturelles, mais depuis, j'ai changé d'opinion et je viens vous demander la permission de faire une autopsie. Je crois que ces deux personnes sont mortes empoisonnées.

— Empoisonnées ? Impossible ! vous devez vous tromper.

— Peut-être . . . en tout cas, je désire faire une autopsie.

— Je vous en prie, monsieur, réfléchissez au scandale qu'une telle décision va causer. Après tout, ces deux morts successives peuvent être dues à une simple coïncidence. . . .

— Vous avez raison, a dit le médecin après un moment de silence ; je peux me tromper et je ne veux pas causer de scandale. . . . Mais écoutez bien ceci, monsieur : si la mort revient frapper une troisième fois à votre porte, j'avertis immédiatement les autorités.

— Eh bien ! ajoute Maximilien en tremblant, une troisième fois la mort a frappé à la même porte et le médecin n'a rien dit.

— Mon cher ami, dit le comte de Monte-Cristo, vous me racontez une histoire qui fait le sujet de toutes les conversations. Je connais cette maison, c'est une famille d'Atrides[2] et Dieu les a condamnés. C'était monsieur de Saint-Méran il y a trois mois, c'était madame de Saint-Méran il y a six semaines, c'était le pauvre Barois l'autre jour, mort pour avoir bu la limonade destinée à quelqu'un d'autre. Demain ce sera (it will be) le tour du vieux Noirtier ou de la jeune Valentine. Laissez faire, vous dis-je. C'est la justice de Dieu qui passe sur cette maison maudite (accursed).

— Mais, s'écrie Maximilien avec désespoir, je l'aime, moi !

— Vous aimez qui ? dit le comte en se levant brusquement et en prenant dans les siennes les mains de Maximilien.

— Valentine ! je l'aime, entendez-vous ? et je tremble pour elle. Depuis la mort de Barois, le pauvre grand-père et moi

[2] The Atridae family, known in Greek legend for the horrible murders that its members committed against each other.

---

**Margin glosses:**

d'abord at first

une telle such a

j'avertis I notify

quelqu'un d'autre someone else
laissez faire let it be

en prenant taking
les siennes his

nous ne vivons plus.[3] La mort est dans cette maison, comprenez-vous?

— Malheureux! s'écrie Monte-Cristo, malheureux! tu aimes Valentine? tu aimes cette fille d'une race maudite (accursed)?

Morel regarde le comte avec stupeur. Jamais il n'a vu une telle expression d'horreur sur un visage humain. Enfin, peu à peu, l'horreur, le désespoir, l'incrédulité font place à une pitié infinie. Le comte ferme les yeux un instant, fait un violent effort pour retrouver son calme et dit:

— Voyez, mon cher Maximilien, comme Dieu me punit de mon indifférence. Depuis plusieurs mois, depuis la disparition de mon élixir, je sais la cause de toutes ces morts chez les Villefort. Mais, au lieu d'intervenir (intervene), je me suis contenté d'assister, en spectateur détaché mais curieux, à cette tragédie en plusieurs actes qui remplissait secrètement mon cœur de joie. Et voilà que Dieu me punit à mon tour puisqu'il vous fait souffrir.

Le jeune homme regarde le comte sans comprendre. Enfin Monte-Cristo lui demande:

— A qui va la fortune des Saint-Méran?

— A Valentine.

— Et celle de M. Noirtier?

— A Valentine aussi.

— Et en cas de mort de Valentine?

— La fortune passe à son père, monsieur de Villefort.

— Et ensuite?

— A la mort de M. de Villefort, la fortune passe à son fils Édouard, naturellement.

— Maximilien, dit le comte, il y a un démon dans cette maison qui poursuit un plan diabolique. Le criminel ne va pas s'arrêter là; Valentine est la prochaine victime.

— Oh! monsieur, sauvons-la! elle est si bonne, si innocente!

— Ce sont toujours les innocents qui paient pour les méchants, dit le comte d'un air sombre. Mais Maximilien, si nous voulons sauver cette enfant, il n'y a pas un moment à perdre. Vous pouvez voir M. Noirtier, dites-vous?

— Oui monsieur, c'est chez lui que je vais voir Valentine.

assister
to be present
en spectateur
as a spectator
qui remplissait
which filled

prochaine
next

paient
pay

[3] **nous ne vivons plus** we are scared to death

de plus
besides

Vous ignorez sans doute que ses parents m'ont refusé sa main et qu'ils m'ont, de plus, fermé leur porte; c'est pourquoi M. Noirtier, qui est favorable à notre mariage, m'a donné la permission de venir voir Valentine chez lui.

savais
knew

— En effet, je ne savais rien de tout cela, mais ce qui est fait est fait. Et maintenant voyons ce que nous pouvons faire pour sauver Valentine. . . .

Monte-Cristo réfléchit un instant, puis il dit:

— Puisque M. Noirtier sait que sa vie et celle de Valentine sont en danger, cela va faciliter les choses. Je vais lui écrire une lettre et vous allez lui expliquer, mon cher Maximilien, que c'est parce que je vous aime que je me permets d'intervenir et qu'il peut avoir confiance en moi.

— Oui, dit Maximilien, comme en moi-même.

suivante
following

Le comte écrit alors la lettre suivante:

« Monsieur:

J'ai des raisons de croire que votre vie et celle de mademoiselle de Villefort sont en danger. Vous ne pouvez pas révéler à cette enfant le terrible secret que vous avez sans doute découvert. Je vous envoie un élixir pareil au poison qui a causé la mort de monsieur et de madame de Saint-Méran et aussi celle de Barois. Donnez-en une goutte tous les matins et tous les soirs à Valentine sous prétexte qu'elle a besoin d'un tonique. Ces petites doses vont assurer une certaine immunité contre le poison. Aux premiers symptômes d'empoisonnement, au lieu d'appeler votre médecin, envoyez chercher le Dr. Busoni qui habite la maison voisine de la vôtre. Il connaît les effets de ce poison très rare et lui seul peut en administrer l'antidote.

Comte de Monte-Cristo »

je vous envoie
I am sending you

envoyez chercher
send for
voisine
next to

Le comte donne la lettre à Maximilien en lui disant:

— Allez, mon enfant; vous pouvez être sûr que je vais faire tout mon possible pour sauver Valentine.

Après le départ de Maximilien, Monte-Cristo appelle son domestique:

— Bertin, dit-il, je pars en voyage avec Ali. Je vais être absent pendant plusieurs semaines. Fermez la maison.

Monte-Cristo se rend alors secrètement dans une maison voisine de celle des Villefort pour y demeurer sous le nom de **demeurer**
5 Dr. Busoni.

demeurer
to reside

Chapitre XVIII

L'expiation

Trois semaines se passent; le comte continue sa vigile dans la maison voisine de celle des Villefort. De temps en temps, il peut voir Valentine dans le jardin avec son grand-père, qui est paralysé. La jeune fille a pour lui des soins si tendres, elle lui montre tant d'affection que le comte commence à aimer 5 Valentine. Il frissonne quand il pense que sans l'intervention de Maximilien, elle était destinée à mourir d'une mort horrible. Il sait qu'il est indirectement responsable de ce danger qui menace la jeune fille et cette idée le remplit d'un certain malaise. Pour la seconde fois, la pensée des innocents 10 sacrifiés à sa vengeance vient le troubler, et il est décidé plus que jamais à sauver Valentine.

Un soir, un domestique de M. Noirtier vient le chercher en toute hâte:

— Docteur, dit-il, venez vite; mademoiselle . . . oh! la 15 pauvre mademoiselle. . . .

Sans lui donner le temps d'achever, le docteur Busoni se précipite dans la rue, suivi du domestique qui continue:

— C'est comme les autres, monsieur; ils sont tous morts de la même façon. La mort est dans cette maison, pour sûr! 20

Quand le docteur arrive, il trouve les domestiques groupés dans le vestibule, prêts à quitter cette maison de malheur. Il se

soins care

achever to finish
suivi followed

façon way
quitter to leave

rend immédiatement auprès de Valentine. A son visage convulsé, aux spasmes terribles qui la secouent de temps en
temps, il reconnaît les effets du poison. Il ouvre les lèvres
violettes de la jeune fille et lui fait avaler (makes her swallow)
5 l'antidote. Puis il attend, plein d'anxiété. . . .

De longues minutes se passent . . . minutes qui semblent
des heures . . . enfin un peu de rose reparaît aux joues de   **joues**
Valentine, sa respiration devient plus régulière . . . elle ouvre   cheeks
les yeux :

10 — Ah! s'écrie le docteur, elle est sauvée!

Alors, regardant tour à tour Villefort et sa femme, il dit
distinctement et avec un calme terrible :

— Cette jeune fille a été empoisonnée.

M. de Villefort se tourne vers sa femme et voit qu'elle est
15 devenue soudain très pâle.

— C'est elle, se dit-il, elle qui a empoisonné Barois, madame
de Saint-Méran, et son mari . . . et maintenant que faire? ce
docteur, cet étranger va sûrement avertir la police. . . .   **avertir**
                                                                      to notify
Le docteur le regarde froidement et lui dit :

20 — Monsieur de Villefort, j'ai besoin de vous parler.

Tous deux sortent de la chambre de Valentine et vont dans
le jardin.

— Monsieur, dit le docteur, j'ai tout lieu de croire[1] que ce
n'est pas le premier cas d'empoisonnement dans votre maison,   **avertir**
25 et je dois vous avertir qu'une certaine conversation entre vous   warn
et votre médecin à ce sujet a été entendue par une autre per-   **a été entendue**
sonne. Le médecin vous a communiqué ses soupçons mais vous   was heard
l'avez persuadé de se taire. Ceci vous rend, je crois, complice   **se taire**
de ces crimes. Monsieur le procureur du roi, ajoute-t-il   to keep silent
                                                                   rend
30 durement, pourquoi n'avez-vous pas arrêté vous-même le   makes
criminel ?

Le procureur murmure :

— Un criminel dans ma propre maison! quel scandale!

— Et pour empêcher le scandale et protéger l'honneur de
35 votre nom, votre conscience a toujours été prête à faire bien
des concessions. n'est-ce pas ?

— Que voulez-vous dire? balbutie (stammers) le procureur.   **que voulez-vous dire?**
                                                              what do you mean?

[1] **j'ai tout lieu de croire**   I have every reason to believe

—Je veux dire qu'une fois déjà vous n'avez pas hésité devant un crime pour protéger votre nom et votre réputation.

Monsieur de Villefort regarde le docteur sans avoir l'air de comprendre.

— Est-il possible, monsieur le procureur, continue le docteur 5 avec un pâle sourire, que vous ayez (that you should have) oublié le nom de votre première victime? Voyons . . . réfléchissez . . . ne vous rappelez-vous pas un nom? . . . Edmond Dantès?

— Edmond Dantès! s'écrie Villefort en pâlissant. 10

Il regarde le docteur, les yeux pleins de terreur. Qui donc a révélé à cet homme le secret qu'il a caché si profondément dans son cœur? Edmond Dantès? non, c'est impossible: Edmond Dantès est mort dans sa prison sans avoir communiqué avec personne. 15

Le docteur semble lire ses pensées; il ajoute lentement:

— Les morts reviennent quelquefois, monsieur le procureur; ils reviennent quelquefois pour se venger. Eh bien! moi, je vous **tant de fois** dis: Monsieur le procureur, vous qui avez tant de fois et sans
so many times pitié administré la justice aux autres, il est temps de l'ad- 20 ministrer chez vous. Je vais de ce pas (right now) avertir la police.

Et le docteur part, laissant de Villefort anéanti (stunned).

M. de Villefort reste longtemps ainsi, immobile, paralysé sous la violence du coup qui vient de le frapper. Enfin il prend 25 une résolution: le nom de Villefort ne doit pas être traîné devant les tribunaux.[2] Il va lui-même administrer la justice dans sa propre maison.

Il se rend chez madame de Villefort.

— Madame, lui dit-il brutalement, je connais vos crimes, 30 mais ce qui est plus grave, d'autres les connaissent aussi. Demain matin, on va venir vous arrêter comme empoisonneuse (poisoner). Madame de Villefort ne doit pas être traînée devant les tribunaux[2]; me comprenez-vous?

Très pâle, madame de Villefort recule devant son mari qui 35 s'avance vers elle, implacable:

—Je vous répète, madame, que la police va se présenter

[2] **traîné devant les tribunaux** dragged into court

chez vous demain matin et qu'elle ne doit pas vous y trouver en vie. Pour vous qui savez si bien hâter (hasten) la mort des autres, ce ne doit pas être un problème trop difficile.

Madame de Villefort balbutie (stammers), terrifiée:

5 — Non, non, vous ne pouvez pas vouloir cela!

— Ce que je ne veux pas, c'est qu'on vous traîne devant les tribunaux, entendez-vous?

— Oh! monsieur, grâce!

— Grâce? grâce à vous qui avez compté une à une les 10 minutes de trois agonies sans un mouvement de compassion? Grâce à vous qui n'avez pas hésité à sacrifier à vos projets diaboliques la vie d'une jeune fille innocente et pure? la seule grâce que je veux bien vous faire, c'est de vous sauver de la guillotine.

15 D'un mouvement convulsif, madame de Villefort se cache la tête dans ses mains.

Le procureur continue, inflexible:

— Voyons, vous qui avez si bien calculé tout, vous ne devez pas avoir oublié, n'est-ce pas, de calculer les conséquences de la 20 révélation de ces crimes? Oh! vous devez bien certainement avoir gardé un peu de ce poison pour vous-même, en cas de besoin? Eh bien! madame, il est temps de vous en servir.

Madame de Villefort tombe à genoux aux pieds de son mari:

— Oh! monsieur, laissez-moi vivre! Songez que je suis votre 25 femme. . . .

— Il n'y a pas de mari ici, madame, il n'y a qu'un juge.

— Au nom de l'amour que vous avez eu pour moi . . .

— Non, non!

— Au nom de notre enfant! Ah! pour l'amour de votre fils, 30 monsieur, pardonnez à sa mère!

— Non; un jour peut-être, si je vous laisse vivre, allez vous l'empoisonner comme les autres. . . .

— Moi? tuer mon fils! s'écrie-t-elle avec un cri sauvage, moi? le tuer! quand c'est pour lui que j'ai fait tout cela? ah! 35 ah! . . .

Et elle s'affaisse sur le parquet.[3]

Monsieur de Villefort la regarde un instant, impassible:

[3] **elle s'affaisse sur le parquet**   she falls in a dead faint

---

en vie
alive

vouloir
want, wish

compté
counted

gardé
kept
vous en servir
to make use of it
songez
think

l'amour
love

— Adieu! madame, dit-il lentement, adieu!

Il rentre chez lui, ferme sa porte et reste seul avec ses pensées.

il n'a pas eu
he has not had

l'étendue
the extent

La catastrophe est arrivée si brusquement qu'il n'a pas eu le temps de réfléchir à sa situation. C'est maintenant seulement 5 qu'il commence à comprendre l'étendue du désastre.

— Ah! murmure-t-il, c'est Dieu qui se venge.

le passé
the past

Un nom lui vient alors à la pensée, un nom presqu'oublié dans le passé et que Busoni a prononcé: Edmond Dantès. Il frissonne en songeant à cet innocent qu'il a sacrifié autre- 10 fois, à ce crime abominable qu'il a caché pendant des années sous une apparence vertueuse et austère. Il se voit alors tel

tel qu'il est
just as he is

qu'il est: un hypocrite sans conscience.

— Et c'est moi, se dit-il, moi qui viens de me montrer sans pitié pour cette femme qui porte mon nom! moi qui viens de la 15 condamner à mort!

douleur
pain

Il pousse un cri de douleur et de rage.

— Ah! s'écrie-t-il, alliance du tigre et du serpent! Cette femme n'est devenue criminelle que parce qu'elle m'a touché . . . et je la punis! et c'est moi, moi qui ai l'audace de lui dire: 20

mourez!
die!

repentez-vous et mourez! oh! non, non, je veux qu'elle vive. Nous allons partir, quitter la France . . . je vais lui dire que moi aussi je suis un criminel . . . je veux lui demander pardon à mon tour . . . je veux . . . .

Et il se précipite vers l'appartement de sa femme. La porte 25 est fermée:

— Héloïse, crie-t-il, Héloïse!

— Qui est là? demande une voix tremblante.

— Ouvrez, ouvrez, c'est moi, votre mari.

Mais on n'ouvre pas. Villefort enfonce (breaks in) la porte. 30 Il aperçoit madame de Villefort, livide et chancelante (stag-gering). . . .

faible
weak

— C'est fait, murmure-t-elle d'une voix faible, que voulez-vous de plus?

sans vie
lifeless

Et elle tombe sans vie aux pieds de son mari. 35

Villefort, pâle d'horreur, recule jusqu'à la porte, les yeux fixés sur le cadavre de sa femme. . . . Et cet homme inflexible, qui n'a jamais eu pitié de personne, sent soudain le besoin de

quelqu'un auprès de qui pleurer. Dans sa douleur, il songe à **douleur**
son vieux père. Il veut aller lui demander pardon, lui ouvrir   grief
son cœur et pleurer près de lui. Mais quand il arrive chez son
père, le vieux Noirtier n'est pas seul. Le docteur Busoni est là;
5 il semble dire quelque chose de très important au paralytique
qui l'écoute attentivement. A la vue de Busoni, Villefort se
rappelle soudain sa conversation dans le jardin.

— Que venez-vous faire ici? lui demande-t-il durement.

— Je viens vous dire que vous m'avez payé votre dette,
10 monsieur.

— Cette voix, dit tout à coup Villefort, ce n'est plus la
voix du docteur Busoni. . . .

— Non.

Et le docteur enlève ses faux cheveux et sa fausse barbe: **faux, fausse**
15 — Ah! s'écrie le procureur, les yeux hagards, c'est le comte   false
de Monte-Cristo. . . .

— Ce n'est pas encore cela, monsieur; cherchez plus loin. . . . **plus loin**
— Cette voix . . . où l'ai-je entendue pour la première fois?   farther
— Vous l'avez entendue pour la première fois il y a vingt
20 ans . . . cherchez bien. . . .

— Vous n'êtes pas Busoni, vous n'êtes pas Monte-Cristo . . .
ah! vous êtes cet ennemi invisible, implacable et mortel dont je
me sens poursuivi depuis quelque temps . . . mais que vous ai-je **poursuivi**
donc fait?   pursued

25 — Vous m'avez condamné à une mort lente et hideuse dans **lente**
un cachot du château d'If. Je suis le spectre du malheureux que   slow
vous avez ainsi condamné. A ce spectre sorti de la tombe, Dieu
a donné le nom de Monte-Cristo.

— Ah! je te reconnais . . . tu es . . .
30 — Je suis Edmond Dantès.

A ces mots, le procureur pousse un cri de terreur. Il regarde
Dantès avec des yeux d'une fixité horrible, puis tout à coup,
il se met à rire, interminablement. . . .

M. de Villefort est devenu fou. **fou**
35 Des domestiques emmènent le malheureux dans son apparte-   mad
ment. Dantès le suit des yeux, l'air froid et impassible et murmure mystérieusement: DEUX!

Chapitre XIX

Le télégramme

il perd
he is losing

hardies
bold

près de
nearly
quant au
as for the

les pertes
the losses

laquelle?
which one?

Depuis quelque temps, le baron Danglars est très inquiet: il perd de l'argent de tous les côtés. Lui qui a décuplé son capital en dix ans par des spéculations hardies semble avoir perdu son flair pour les affaires (business acumen). Pas une seule de ses récentes spéculations n'a réussi et en six mois il a perdu près de deux millions. Quant au comte de Monte-Cristo, tout semble au contraire lui réussir, et pendant la même période il a fait un profit de près de trois millions. Danglars décide de se laisser guider par Monte-Cristo et de s'engager dans les mêmes spéculations.

C'est juste ce qu'attend Monte-Cristo qui pourrait (who could) peut-être expliquer les pertes d'argent du baron.

Un jour, il se présente à la banque Danglars et dit au banquier:

— Monsieur Danglars, j'ai besoin de deux millions.

— Deux millions! dit le banquier en riant, et que voulez-vous faire d'une aussi grosse somme?

— Je veux faire une spéculation intéressante.

— Ah! dit Danglars, peut-on vous demander laquelle?

— Je vais acheter des bons du gouvernement espagnol (Spanish bonds).

— Le gouvernement espagnol n'est pas encore très stable, dit

Danglars. Croyez-vous que vous faites une bonne affaire? Supposez que Don Carlos[1] rentre en Espagne (Spain) et cause une révolution?

— Ce que je vais vous dire est confidentiel. Vous savez que
5 j'ai des agents en Espagne et un service télégraphique spécial? Eh bien! je suis certain que les bons espagnols vont hausser (are going to rise) de dix points.

— Oh! dit Danglars, dix points, c'est beaucoup, et sur deux millions vous allez faire un joli profit.

10 — Bah! dit Monte-Cristo négligemment, je fais cela simplement pour m'amuser.

Après le départ de Monte-Cristo, Danglars réfléchit. . . .

— Voici l'occasion, se dit-il, de reconstituer ma fortune; si j'engage tous mes capitaux dans cette spéculation, une hausse
15 (rise) de dix points va me permettre de récupérer les grosses pertes de ces derniers mois. . . .

Il réalise (converts into cash) tous ses capitaux et achète des bons espagnols.

Lorsque Monte-Cristo s'est assuré que le banquier a risqué
20 toute sa fortune sur les bons espagnols, il va faire un petit voyage. Il monte en voiture et se dirige vers la ville d'Orléans. De temps en temps, sur les collines, on aperçoit les sémaphores des postes télégraphiques[2] placés de distance en distance. A chaque poste, la voiture s'arrête; le comte descend et semble
25 étudier le poste avec soin; puis il remonte en voiture et donne le signal d'aller plus loin, jusqu'au poste voisin. Enfin il arrive devant un poste qui semble perdu dans la campagne, loin de tout village, de toute habitation. . . . Le comte descend de voiture et se dirige vers le poste:
30 — Monsieur, demande-t-il à l'employé, est-ce que l'on vous permet de montrer le télégraphe aux visiteurs?

— Certainement, répond l'employé, vous désirez le voir?

les collines
the hills

avec soin
carefully

la campagne
the countryside

[1] Don Carlos, son of Charles IV and contender for the throne of Spain, started a revolution against Queen Isabella. In 1833, he had to flee and take refuge in France.
[2] At that time, the aerial telegraph invented by Chappe was in use. Communications were made by a system of signals, and the posts were placed on hills, within sight of each other.

— Oui, dit Monte-Cristo, je suis curieux de voir comment cela fonctionne.

— C'est très simple, monsieur. Mon voisin de droite me fait des signaux; je répète exactement chaque signal à mon voisin de gauche qui les répète ensuite à son voisin.   5

— On m'a dit que les agents ne comprennent pas les signaux qu'ils répètent; est-ce vrai?

— Oui, monsieur, et je préfère cela.

— Pourquoi?

— Parce que de cette façon, je n'ai aucune responsabilité.   10 Je suis une machine, rien de plus. Je répète chaque signal exactement, c'est tout ce que l'on me demande.

Monte-Cristo lui demande brusquement:

— Combien gagnez-vous par an?

— Quinze cents francs, monsieur.   15

— Ce n'est pas beaucoup.

— C'est assez pour vivre modestement.

— C'est vrai, mais . . . écoutez; voulez-vous gagner vingt-cinq mille francs en cinq minutes?

— Vingt-cinq mille francs! s'écrie l'employé, stupéfait; 20 monsieur n'est pas sérieux?

— Très sérieux, au contraire.

— Et que dois-je faire pour gagner ces vingt-cinq mille francs?

— Rien de bien difficile . . . simplement substituer les 25 signaux que voici à ceux que votre voisin de droite va vous envoyer.

Et Monte-Cristo montre à l'employé une feuille de papier sur laquelle plusieurs signaux sont indiqués.

— Voyez, dit-il, c'est très facile.   30

— Mais monsieur, dit l'homme, c'est un faux télégramme. Si je l'envoie, je vais perdre ma place. . . .

— Eh bien! qu'est-ce que cela vous fait?[3] Avec l'argent que je vais vous donner, vous allez pouvoir acheter une petite maison à la campagne avec un jardin, et vivre indépendant et 35

---

de droite
on the right

de gauche
on the left

gagnez-vous
do you earn

vingt-cinq
twenty-five

place
situation

---

[3] **qu'est-ce que cela vous fait**   what does it matter to you; why should you care

heureux le reste de votre vie. . . . Allons, réfléchissez . . . vingt-cinq mille francs.

Et Monte-Cristo montre au pauvre homme vingt-cinq billets de mille francs chacun.

billets
bills

5 La tentation est trop forte; l'employé prend les billets et substitue aux signaux envoyés par son voisin de droite les signaux indiqués sur la feuille de papier. Son voisin de gauche les répète exactement, et de poste en poste ils arrivent à Paris.

— Et maintenant vous voilà riche, dit Monte-Cristo en 10 souriant.

— Oui, répond l'employé, mais j'ai envoyé un faux télégramme.

— Bah! dit Monte-Cristo, personne n'a besoin de le savoir. Fermez la porte du sémaphore et venez avec moi. Je vais en 15 Normandie; justement je connais une jolie petite maison à la campagne qui est à vendre.

L'employé réfléchit un instant et dit:

— Vous avez raison, monsieur, je ne peux pas rester ici. Je risque la prison. Partons. . . .

20 Cependant, le lendemain, on peut lire dans tous les journaux de Paris:

« On nous télégraphie de Barcelone . . .
Don Carlos est rentré en Espagne (Spain). La ville de Barcelone s'est révoltée en sa faveur. »

25 Cette nouvelle cause une véritable panique à la Bourse (Stock Exchange). Les bons espagnols baissent (fall) de trente points en quelques heures et Danglars, qui a risqué toutes ses ressources sur ces bons, est complétement ruiné.

Il est vrai que le baron a encore dans sa banque un capital de 30 six millions, mais cet argent ne lui appartient pas; c'est l'argent de ses clients qui est en dépôt (deposit) dans sa banque.

appartient
belongs

Sans hésiter, le banquier prend cet argent et se rend à la banque Lafitte. Il demande en échange de ces capitaux un bon au porteur (draft) de six millions sur la banque 35 Thomson & French de Rome. Personne ne connaît encore sa ruine et la banque ne fait aucune difficulté pour lui donner ce bon au porteur.

poche
pocket

Le soir même, avec ce précieux papier dans sa poche, Danglars monte en voiture et se dirige vers Marseille.

Le lendemain matin, les journaux annoncent :   5

hier
yesterday

« C'est avec regret que nous avons annoncé hier le retour de Don Carlos en Espagne. Don Carlos n'a pas quitté la France et il n'y a pas de révolution à Barcelone. Un télegramme, envoyé on ne sait d'où, est responsable de cette fausse nouvelle. »   10

Monte-Cristo, en lisant son journal, sourit discrètement. Le télégramme a causé l'effet désiré.

La nouvelle de la ruine de Danglars cause une grosse émotion dans Paris. La rapidité avec laquelle cette maison, une des plus solides de France, est tombée a surpris tout le   15 monde, mais cette surprise fait bientôt place à une grande indignation quand on apprend que le baron s'est enfui (has fled) avec l'argent de ses clients. Où s'est-il enfui ?

Quelqu'un pourrait (could) répondre à cette question. Un des détectives de Monte-Cristo, chargé de la surveillance de   20

suivi
followed

en route pour
on the way to

Danglars, l'a constamment suivi, depuis le moment où il est monté en voiture devant sa porte, jusqu'à Marseille. Il est en ce moment sur le même bateau que le baron, en route pour Gênes.

Chapitre XX

Regrets

Le comte de Monte-Cristo a décidé de quitter Paris pour
n'y plus revenir. Son bel hôtel est à vendre et lui-même va
faire ses visites d'adieux. Dans tous les salons, on ne parle
que des catastrophes qui viennent de frapper en plein bonheur — **bonheur**
happiness
5 trois familles des plus riches et des plus estimées. La ruine de
Danglars, le suicide du comte de Morcef, et les morts si mystérieuses dans la maison de M. de Villefort sont le sujet de toutes
les conversations. Le comte de Monte-Cristo écoute tous
ces commentaires, un sourire énigmatique aux lèvres. Son
10 opinion est qu'il y avait sans doute dans le passé de ces
gens-là quelque crime caché et que c'est peut-être Dieu qui les
a frappés. On le regarde avec une certaine appréhension, car,
si l'on en croit les rumeurs, son nom est mêlé d'une manière — **mêlé à**
mixed up in
étrange à toutes ces affaires. Lui cependant continue, avec une
15 imperturbable tranquillité, ses visites de salon en salon.

Sa dernière visite est pour Maximilien Morel qu'il trouve
chez M. Noirtier. Valentine habite maintenant chez son grand-
père qui vient d'annoncer son prochain mariage avec Maxi- — **prochain**
coming
milien. Monte-Cristo regarde avec affection les deux jeunes
20 gens qui semblent perdus dans leur bonheur. Ils sont jeunes,
ils vont vite oublier le passé. . . .

au moins
at least

— Au moins, se dit le comte, parmi tant de ruines et de malheurs, j'ai contribué à faire le bonheur de ces deux-là.

Le jour de son départ, il monte en voiture, accompagné de son domestique Ali. Arrivé sur la colline de Villejuif, Monte-Cristo fait arrêter sa voiture et descend. De la colline, 5 il peut apercevoir toute la ville de Paris, vaste comme une sombre mer, où des millions de créatures, plus furieuses, plus avides que les flots (waves) de l'océan se dévorent les unes les autres.

— Grande ville, murmure-t-il, voilà six mois que j'ai passé 10 tes portes. Le secret de ma présence dans tes murs, Dieu seul, qui peut lire dans les cœurs, le connaît. Seul, il sait que

mais non pas
but not

je pars sans haine mais non pas sans regrets. Maintenant, ma mission est achevée. Adieu, Paris, adieu!

Il remonte en voiture, fait un signe et les chevaux partent 15 au galop.

Trois jours après, Monte-Cristo arrive à Marseille. Sur le quai, un bateau, prêt à partir pour Alger, attend le signal du

le pont
the deck

départ. Le comte aperçoit sur le pont un jeune homme en uniforme de soldat qui fait un signe d'adieu à une femme 20 restée sur le quai. Monte-Cristo reconnaît le jeune soldat: c'est Albert de Morcef. Il part pour l'Algérie où il espère se refaire un nom honorable. Depuis leur départ de Paris le comte n'a

aider
to help

pas fait un mouvement pour aider la mère et le fils car il sait que son aide serait (would be) fièrement refusée. La comtesse 25 de Morcef a distribué toute la fortune de M. de Morcef aux pauvres de Paris. Ni elle ni son fils n'ont rien gardé de cette fortune infâme; ils ont préféré une vie de pauvre, dure et triste, mais honorable.

de loin
from a distance

De loin cependant, Monte-Cristo protège ces malheureux. 30 Il a recommandé le fils de Mercédès au général de l'armée d'Algérie. Albert est brave; il va retrouver dans une vie d'abnégation et de sacrifice l'orgueil (pride) et le respect de lui-même. Avec la protection du général il est sûr d'avancer rapidement. C'est tout ce que peut faire Monte-Cristo pour le 35 moment.

Le bateau part; la pauvre mère, les larmes aux yeux, le regarde s'éloigner. Enfin, lorsqu'il a complétement disparu,

elle se dirige à pas lents vers la rue Meilhan . . . vers la petite **à pas lents**
maison où, jeune fille, elle a été si heureuse et où elle revient with slow steps
pleurer.

De loin, le comte suit Mercédès. Ce n'est pas sans une
5 profonde émotion qu'il se retrouve dans cette rue, si pleine des
souvenirs heureux et malheureux de son passé. Il entre dans
le petit jardin et s'arrête, hésitant . . . par la porte ouverte on
entend les sanglots (sobs) de Mercédès. Il entre sans frapper
. . . au bruit de ses pas, Mercédès relève la tête et pousse un cri
10 en le voyant devant elle.

— Madame, dit-il d'une voix pleine de compassion, je vais
partir. Je suis venu vous faire mes adieux et vous assurer que
je suis resté votre ami. Que puis-je faire pour vous?

— Rien, répond Mercédès douloureusement; je n'avais plus
15 qu'une joie[1]: mon fils, et il vient de me quitter.

— Il a raison, madame. C'est un noble cœur; il va devenir
brave et fort et changer son adversité en fortune. Laissez-le
refaire votre vie à tous deux.

— Pauvre enfant, dit-elle en pleurant, la vie a été cruelle
20 pour lui.

— Hélas! madame, croyez bien que si j'ai des regrets, c'est **coupables**
que le châtiment des coupables a amené le malheur des guilty ones
innocents. Mercédès, me pardonnez-vous? **a amené**
has brought
Mercédès secoue tristement la tête:

25 — Je n'ai rien à vous pardonner Edmond, dit-elle; c'est moi
qui suis à blâmer. Tous mes malheurs viennent de ma trahison.
J'avais votre amour et je n'ai pas su (I failed to) vous rester
fidèle. Mais, ajoute-t-elle, s'il vous reste un peu d'affection **fidèle**
pour moi, protégez mon fils. faithful

30 — Si Dieu lui donne vie, je peux faire le reste.

— Merci, Edmond.

— Mais vous, Mercédès?

— Moi, je n'ai besoin de rien. Je vis entre deux tombes: celle
d'Edmond que j'ai perdu par ma faute, et celle de ce mal-
35 heureux, père de mon fils, pour qui je dois prier.

La pauvre femme a prononcé ces paroles d'un ton si plein

___

[1] **je n'avais plus qu'une joie**   I had only one joy left

de douleur et de désespoir, que le comte, profondément ému, s'incline sans rien dire et sort lentement.

Mercédès le regarde partir et murmure tout bas:

— Edmond! Edmond!

Mais lui n'entend pas la voix timide qui semble le rappeler. 5
Il s'éloigne à pas lents, la tête basse, le cœur lourd de remords (remorse).

La vengeance n'a pas apporté à Monte-Cristo la satisfaction qu'il en attendait. Il a peur maintenant de s'être vengé trop cruellement. Jusqu'ici, il est allé de l'avant (straight ahead), sûr 10 de lui-même, sûr de sa destinée. Son évasion (escape) miraculeuse du Château d'If, la fortune immense qui lui est tombée entre les mains, les fautes mêmes de ses ennemis, qui se sont perdus par leurs propres crimes, tout lui a fait croire que Dieu lui-même favorisait ses projets de vengeance . . . cependant . . . 15 s'il s'était trompé? (suppose he were wrong?)

— Ah! murmure-t-il, assez de vengeance comme cela. Sauvons au moins le dernier, s'il en est encore temps.

Et en toute hâte, il se dirige vers la ville de Rome.

Cependant le baron Danglars, toujours suivi du détective 20 qui ne le perd pas un instant de vue, arrive à Gênes. De Gênes, il se rend à Rome en chaise de poste. Un soir, vers six heures, la voiture arrive à la Storta, d'où l'on peut apercevoir le fameux dôme de Saint-Pierre de Rome. Comme d'habitude, le postillon arrête les chevaux pour laisser au voyageur le 25 temps d'admirer la vue imposante de la Ville Éternelle qui se découvre soudain à ses yeux. Mais Danglars n'a ni la curiosité ni l'enthousiasme du touriste. Impatient d'arriver à destination, il crie au postillon d'avancer et la voiture se remet en route. Une heure après, elle entre dans la ville et s'arrête 30 devant l'hôtel d'Espagne.

Maître Pastrini reçoit le voyageur à la porte avec les salutations, les compliments et les cérémonies qu'un voyageur aussi riche a le droit d'attendre de lui, puis il le conduit lui-même à la meilleure chambre de l'hôtel. 35

Resté seul, Danglars tire un papier de sa poche et le regarde avec affection et respect:

---

tout bas
in a low voice

la tête basse
his head bowed
lourd de
heavy with

en attendait
expected from it
jusqu'ici
until now

les fautes
the mistakes

favorisait
favored

voyageur
traveler

se découvre
unfolds

se remet en route
starts out again

le droit
the right

tire
pulls

— Bon, dit-il, je l'ai toujours.

Il remet le précieux papier dans sa poche et descend dîner. Le dîner, que maître Pastrini a préparé lui-même pour son Excellence, est délicieux et Danglars mange de bon appétit. Puis, comme il est fatigué, il remonte dans sa chambre et se couche de bonne heure. Le lit est bon, et Danglars, qui n'est troublé par aucun scrupule de conscience, dort bientôt profondément.

Le lendemain matin, aussitôt après son déjeuner, Danglars, qui veut aller de bonne heure à la banque, demande à maître Pastrini où se trouve la banque Thomson & French.

Maître Pastrini se perd dans des explications excessivement confuses et Danglars n'y comprend rien. C'est alors qu'un jeune homme s'approche et lui dit en très bon français :

— Votre Excellence veut-elle me permettre de la conduire à la banque ?

— Ah ! dit maître Pastrini, voici Peppino qui peut vous servir de guide. C'est un brave garçon et vous pouvez avoir toute confiance en lui.

— En ce cas, dit Danglars, qui ne sait pas un mot d'italien, j'accepte avec plaisir.

Peppino conduit le baron à la banque Thomson & French. Danglars lui demande d'attendre à la porte, puis il entre dans la banque. Peppino, se tournant vers un homme qui semble attendre dans la rue, lui fait un signe imperceptible. L'homme s'approche et passe lentement à côté du guide :

— C'est notre homme, murmure Peppino à voix basse.

— C'est bon, dit l'autre sans s'arrêter, je vais avertir le capitaine.

A son entrée dans la banque, Danglars demande d'un air important à parler à M. Thomson lui-même. Quand celui-ci arrive, le baron tire son précieux papier de sa poche et le présente au banquier.

— Ah ! dit M. Thomson, un billet au porteur (draft) de six millions. C'est une grosse somme. A qui ai-je l'honneur de parler ?

— Au baron Danglars.

— Ah ! de la banque Danglars de Paris ?

de bonne heure
early

aussitôt
immediately

où se trouve
where is

servir
serve

à voix basse
in a low voice
c'est bon
all right

— A lui-même, monsieur.

— Et comment voulez-vous cet argent, monsieur?

— En lettres de crédit sur vos maisons de Rome, de Venise et de Vienne.

— Très bien, monsieur.   5

M. Thomson appelle un employé et lui donne les instructions nécessaires pour ouvrir au baron Danglars un crédit de six millions sur la maison Thomson & French.

Chapitre XXI

Dîners à la carte

Danglars sort de la banque Thomson & French le cœur rempli d'une joyeuse exultation, puis il rentre, accompagné de son guide, à l'hôtel d'Espagne.

Il demande à Peppino de lui commander une voiture et des **commander**
5 chevaux pour deux heures. Il veut se rendre d'abord à Venise, to order
puis de là à Vienne où il a l'intention de demeurer.

La voiture, commandée pour deux heures, n'arrive qu'à trois heures. Danglars, impatient de ce délai, monte dans la voiture et crie d'une voix irritée :

10 — Ancôme !

Les chevaux partent au galop; mais à peine a-t-on fait trois lieues (leagues) qu'on est obligé de s'arrêter : quelque chose s'est cassé (broken). Le postillon assure à Danglars que ce n'est rien; on va envoyer chercher quelqu'un à la ville voisine pour
15 réparer la voiture et si son Excellence veut bien être patiente . . .

Son Excellence attend . . . une heure . . . deux heures . . . enfin la voiture est réparée et l'on se remet en route. Mais il **il est tard**
est tard; la nuit commence à tomber. Danglars regrette d'être it is late
parti si tard. La ville d'Ancôme est encore loin, à une distance
20 de plusieurs lieues.

Il s'installe aussi confortablement que possible dans la voiture et ferme les yeux, espérant dormir un peu.

Tout à coup, il est réveillé brusquement par un bruit de voix. La voiture s'est arrêtée au milieu de la campagne déserte et on entend distinctement le bruit d'une troupe d'hommes à cheval. Danglars, surpris, avance la tête au dehors[1] pour voir ce qui se passe, mais une voix brutale lui 5 commande:

— Dentro la testa!

Danglars ne sait pas un mot d'italien mais il comprend fort bien qu'on lui dit de «rentrer la tête.» Il est très inquiet. Qui sont ces hommes? des agents de police? Est-ce que la police 10 italienne a déjà un ordre d'extradition contre lui?

Cependant la même voix impérieuse a donné un ordre, et la voiture repart au galop, toujours accompagnée des hommes à cheval.

Dans la nuit, Danglars ne peut rien voir; il n'a aucune idée 15 de ce que sont ces hommes ni où on l'emmène. Enfin, après plusieurs heures de galop furieux, la voiture s'arrête, la porte s'ouvre et un homme dit:

— Scendi!

Danglars fait des progrès en italien. Il comprend qu'on lui 20 dit de descendre et, mort de peur, il sort de la voiture.

On lui dit d'avancer: il avance. On pénètre dans un long passage très obscur. Un des hommes allume une torche; on aperçoit de place en place des niches creusées dans les murs avec, ici et là, un squelette (skeleton) ou une tête de mort. 25 Danglars sait maintenant où il est: il est dans les catacombes! Il est tombé entre les mains du bandit Luigi Vampa. Il se rappelle alors l'aventure d'Albert de Morcef et toutes les histoires terribles que l'on raconte sur ce sinistre bandit. Il frissonne. 30

Enfin la petite troupe arrive devant Vampa:

— Est-ce l'homme? demande le bandit d'un air détaché.

—Lui-même, capitaine.

Vampa regarde froidement Danglars qui est livide de peur: 35

— Cet homme est fatigué, dit-il. Conduisez-le à son lit.

On conduit le baron dans une petite chambre, celle-là

au dehors *outside*

ce que sont *who are*

celle-là même *the very one*

[1] **avance la tête au dehors** puts his head outside

même qu'Albert a occupée il y a quelques mois, et on ferme la porte derrière lui.

Danglars commence à se rassurer. Puisqu'on ne l'a pas tué c'est qu'on a l'intention de lui demander une rançon. Il
5 se rappelle que la rançon d'Albert était de quatre mille piastres. Eh bien! lui aussi peut payer une rançon; après tout il est riche: il possède une somme de six millions.

Et complétement rassuré, Danglars va se coucher.

Le lendemain, quand il se réveille, il est d'abord surpris de
10 se trouver dans cette petite chambre obscure. Alors il se rappelle son aventure de la nuit précédente et sa rencontre avec les bandits. Il cherche dans ses poches; il a encore tout son argent.

— C'est curieux, se dit-il, voilà des bandits qui m'arrêtent
15 et qui cependant ne touchent pas à mon argent. Mais où sont-ils? On n'entend rien.

Il s'approche de la porte et voit à sa grande surprise qu'elle n'est pas fermée. Il l'ouvre avec précaution et avance la tête au-dehors. Devant la porte, un bandit déjeune de bon appétit.
20 Ceci rappelle à Danglars qu'il n'a rien mangé depuis de longues heures et qu'il a faim. Il appelle:

— Holà! (hey there!) quelqu'un.

Un homme s'avance immédiatement: c'est notre ami Peppino. Il sourit d'un air aimable à Danglars et lui dit avec
25 beaucoup de politesse:

— Votre Excellence a appelé?

— Comment! c'est vous? s'écrie Danglars, qui reconnaît son guide de l'hôtel d'Espagne; que faites-vous ici?

— Votre Excellence, ne parlant pas italien, a besoin d'un
30 interprète. Je suis l'interprète officiel de Luigi Vampa, dit-il en souriant avec impudence. Et maintenant, que puis-je faire pour vous?

— J'ai faim, dit le prisonnier. Est-ce qu'on va m'apporter à manger?

35 — Certainement, répond Peppino, vous n'avez qu'à commander. Ici, on mange à la carte; on peut avoir tout ce qu'on veut . . . en payant, naturellement, ajoute-t-il avec un petit sourire.

se rassurer
to feel reassured

il a faim
he is hungry

tout de suite
at once

un poulet
a chicken

se mettre à table
to sit at table

c'est combien?
how much?

la faim
the hunger

un morceau de pain
a piece of bread

— Eh bien! dites-leur qu'on m'apporte à déjeuner.

— Tout de suite; que désire Votre Excellence?

— Mais, dit Danglars hésitant, je ne sais pas. . . . Est-ce que je peux avoir un poulet?

— Rien de plus facile, Votre Excellence.　　　　　5

Et Peppino commande:

— Un poulet pour son Excellence le baron Danglars!

On apporte le poulet qui remplit la petite chambre de son arome délicieux. Danglars, qui a très faim, dévore des yeux le poulet, mais au moment où il va se mettre à table, Peppino 10 l'arrête d'un geste et lui dit d'une voix calme:

— Pardon Excellence, mais ici on paie avant de manger.

— C'est bon, dit Danglars impatient et presque mort de faim, c'est combien?

— Cent mille francs, répond Peppino, imperturbable.　　15

— Hein? (what?) ah! ah! c'est une plaisanterie; cent mille francs un poulet, ah! ah!

Mais le bandit ne rit pas:

— Monsieur, dit-il froidement, ce n'est pas une plaisanterie. Le poulet coûte cent mille francs; payez et mangez.　　20

Danglars le regarde avec stupeur; il n'y a pas de doute, le bandit parle sérieusement. Danglars s'écrie exaspéré:

— Non, mille fois non!

Peppino fait un signe: le délicieux déjeuner disparaît et la porte se referme.　　25

Danglars est si irrité que pendant plusieurs heures l'indignation lui fait oublier la faim qui le torture. Mais bientôt le besoin de manger devient si impérieux qu'il retourne à la porte et appelle quelqu'un.

Peppino, le même sourire impudent aux lèvres, lui de- 30 mande:

— Que désire Votre Excellence?

— Je veux manger.

— Ah? et que désire manger Votre Excellence?

— Un morceau de pain, puisque les poulets coûtent si cher. 35

— Tout de suite, dit Peppino.

Et il apporte un morceau de pain à Danglars.

— C'est combien? demande le baron.

— Cent mille francs, répond Peppino avec le plus grand calme.

— Cent mille francs un morceau de pain! Est-ce une autre de vos plaisanteries? Mais c'est absurde. Dites-moi tout de
5 suite que vous voulez me faire mourir de faim.[2]

— Mais pas du tout, Votre Excellence; c'est vous qui voulez vous suicider. Payez et mangez.

— Mais, s'écrie Danglars de plus en plus exaspéré, payer avec quoi? Est-ce que vous vous imaginez qu'on voyage avec
10 cent mille francs dans ses poches?

— Rien de plus facile, dit Peppino. Que (Let) Votre Excellence me donne un chèque sur la banque Thomson & French; votre crédit est bon.

— Ah! dit Danglars, je comprends enfin; vous voulez cent
15 mille francs. Eh bien! si je vous donne un chèque, est-ce que je vais avoir à dîner?

— Un dîner excellent, dit Peppino.

Danglars signe un chèque et on lui apporte un dîner délicieux.

20 Le lendemain, la même comédie recommence.

— Mais enfin, dit Danglars, qu'attendez-vous de moi?

— Votre Excellence, dit le bandit impassible, a un crédit de six millions à la banque Thomson & French. Avec cette somme, elle peut acheter soixante dîners à cent mille francs chacun.
25 C'est-à-dire que Votre Excellence peut vivre deux mois.

— Et après? demande le malheureux Danglars.

— Après?

— Oui, quand je n'aurai (shall have) plus d'argent?

— Alors vous aurez faim (you shall go hungry).

30 — J'aurai faim? dit Danglars en devenant livide.

— C'est probable, répond le bandit d'un air détaché.

— Et vous dites que vous ne voulez pas me tuer?

— Non.

— Mais vous allez me laisser mourir de faim?

35 — Ce n'est pas la même chose.

La différence paraît bien subtile au malheureux baron.

c'est-à-dire
that is to say

[2] **me faire mourir de faim** starve me to death

Tout ce qu'il voit, c'est qu'il est condamné à mourir de faim et qu'on lui donne au plus deux mois à vivre.

Ces deux mois passent avec une rapidité effrayante. Danglars voit arriver avec terreur le jour où il doit donner son dernier chèque de cent mille francs. Il connaît maintenant les bandits entre les mains desquels il est tombé. Ce sont des gens sans cœur et sans pitié, qui vont le laisser mourir de faim avec la plus grande indifférence. Le baron se sent perdu.

Alors par une réaction étrange, lui, qui vient d'abandonner presque six millions sans protester, veut garder coûte que coûte ces cent mille francs. Il est décidé à endurer toutes les privations plutôt que d'y toucher.

Le premier jour se passe : on ne lui apporte rien à manger. Le deuxième jour . . . rien. Le troisième jour, Danglars demande à voir le capitaine.

— Me voici, dit Vampa, que désirez-vous ?

— Prenez mes derniers cent mille francs, dit le baron ; c'est tout l'argent qui me reste. Prenez, mais laissez-moi vivre ; je ne demande même pas la liberté ; je ne demande qu'à vivre. Ayez pitié de moi ! (have mercy on me !)

— Et pourquoi avoir pitié de vous ? dit soudain une voix sombre et dure. Avez-vous eu pitié de ceux que vous avez condamnés à de pareilles souffrances ?

Et un homme paraît à la porte.

— Le comte de Monte-Cristo ! s'écrie Danglars avec surprise.

— Vous vous trompez, je ne suis pas le comte de Monte-Cristo. Je suis une de vos victimes . . . je suis celui que vous avez condamné à des années de souffrances horribles dans un cachot. Je suis . . . Edmond Dantès.

Danglars pousse un cri de terreur et tombe aux pieds de Monte-Cristo.

— Allons, relevez-vous, dit le comte. Je vous pardonne. Vous êtes plus heureux que vos deux complices qui ont payé leur dette, l'un avec sa vie, l'autre avec sa raison. Vous, je vous avais condamné à mourir de faim ; mais je vous pardonne, parce qu'à mon tour, j'ai besoin d'être pardonné. Vous êtes libre. La restitution des six millions que vous avez volés a été

---

effrayante
frightening

desquels
of whom

coûte que coûte
at any cost

plutôt que de
rather than

souffrances
sufferings

relevez-vous
rise

volés
stolen

faite en votre nom. Il vous reste une somme de cent mille
francs, gardez-la et redevenez un honnête homme.

Puis s'adressant à Vampa :

— Luigi, dit-il, donnez à manger à cet homme et remettez-le
5 en liberté.

redevenez
become once more

Chapitre XXII

Épilogue

Par un beau soir d'octobre, un petit yacht, pur et élégant de
forme, s'avance, rapide et gracieux, sur la mer d'un bleu profond.

bleu profond
deep blue

Debout sur le pont, un homme, jeune encore, parle en
souriant à une belle jeune fille qui regarde l'horizon d'un air 5
triste. C'est le comte de Monte-Cristo qui va reconduire
Haydée dans son pays. Mais Haydée garde le silence et à tout
ce que lui dit le comte, elle ne répond que par un sourire plein
de tristesse.

pays
country

— Voyons, mon enfant, dit le comte, pourquoi es-tu si 10
triste? ne veux-tu pas revoir ton pays? reprendre ta place dans
le monde? Fille de prince, je te rends ta fortune et le nom de
ton père. Que veux-tu de plus?

— Maître, dit la jeune fille d'une voix douloureuse, vous
voulez me quitter. 15

— Haydée, tu es jeune et belle; le bonheur et l'amour t'attendent. Ta vie jusqu'ici a été bien triste et bien malheureuse.
L'avenir te doit le bonheur.

l'avenir
the future

— Le bonheur, murmure-t-elle, le bonheur! loin de vous!

Le comte ne répond rien. Depuis longtemps, il aime Haydée, 20
mais la différence entre leur âge, la peur de s'imposer à sa
jeune protégée par l'immense dette de gratitude qu'elle lui

doit, lui ont fait garder le silence. Et maintenant, pour ne pas
devenir un obstacle à l'avenir brillant de la jeune fille, il a
décidé de se séparer d'elle pour toujours. C'est pourquoi il la **pour toujours**
reconduit dans son pays où, libre et heureuse, elle va oublier forever
5 les mauvais jours. Qui sait? il est possible qu'elle y rencontre
un jour l'homme qui fera battre son cœur.[1] A cette pensée,
Monte-Cristo ferme les yeux et pâlit. Comme c'est difficile de
renoncer à Haydée! et cependant il le doit; il ne peut pas
sacrifier cette enfant à son propre bonheur. . . .
10   — Haydée, dit-il. . . .
La jeune fille tourne la tête et lève vers lui des yeux remplis
de larmes.
Surpris par ce chagrin silencieux, le comte lui demande:
— Mais enfin, Haydée, pourquoi pleures-tu?
15   — Vous êtes mon maître, dit Haydée. Vous avez le droit de
commander; vous avez aussi le droit de me briser le cœur en **briser**
m'éloignant de vous. to break
— Haydée, dit le comte, très ému, tu ne veux donc pas me
quitter?
20   — Je suis jeune, répond-elle sombrement, et j'aime la vie,
mais . . .
— Mais?
— Si vous me quittez, je sens que je vais mourir.
Elle a dit cela d'un ton si grave et si passionné, que le comte
25 la regarde avec attention.
— Pauvre enfant, dit-il, ce que tu prends pour de l'amour
n'est peut-être que de la gratitude.
— Non, non, dit Haydée, devenant de plus en plus exaltée,
je vous aime comme on aime son père, son frère, son mari. Je **frère**
30 vous aime encore comme on aime la vie, car vous êtes à mes brother
yeux le plus beau et le meilleur des hommes. Oh! mon cher
Edmond, par pitié, ne me quittez pas. **par pitié**
Le comte peut à peine croire à ce qu'il vient d'entendre. for pity's sake
Haydée l'aime! il se sent soudain le cœur rempli d'une joie
35 immense, ineffable. . . . Il ouvre ses bras à Haydée qui se
précipite vers lui en poussant un cri.

[1] **l'homme qui fera battre son cœur**   the man with whom she
will fall in love

je voulais
I wanted

— Chère Haydée, murmure-t-il, en me séparant de toi, je voulais me punir. Dieu veut bien me pardonner puisqu'il t'envoie vers moi. Qui sait? ton amour va peut-être me faire oublier ce que je dois oublier.

— Que voulez-vous dire, Edmond? demande Haydée.   5

la route
the road
désormais
from now on

— Je veux dire, mon enfant, que tu viens de me montrer la route que je dois suivre désormais. Je n'ai plus que toi au monde, Haydée, mais avec toi, je peux recommencer ma vie. Puisque par toi je peux encore souffrir, par toi je peux encore être heureux.   10

emporte
carries away

Et l'un près de l'autre, graves et silencieux, ils demeurent longtemps immobiles, absorbés dans leur bonheur, tandis que le bateau les emporte vers l'avenir.

APPENDIX A

Words and expressions assumed to be known by the Students

Words marked * are from the 69 words outside the Vander Beke List.
Words marked ** are from the first 50 words of that list.
Words marked *** are those likely to be acquired in the classroom.

Adject.
* bon
* grand
* petit
* autre
* tout
** beau
*** anglais
*** français

Artic.
* le, la, les
* un, des
* du, des, de la

Dem. Adj.
* ce, cet
* cette
* ces

Poss. Adj.
* mon, ma, mes
* ton, ta, tes
* son, sa, ses
* notre, nos
* votre, vos
* leur, leurs

Int. & Rel. Pro.
* qui, qui?

Pers. Pron.
* je, me, moi
* tu, te, toi
* nous
* vous
* il, ils
* elle, elles
* le, la, les
* lui, leur, se

Idiom. Expres.
*** il y a
*** beaucoup (de)
*** c'est
*** ne . . . pas
*** est-ce que
*** qu'est-ce que
*** (le) voici
*** (le) voilà
*** s'il vous plaît
*** merci
*** bonjour

Prepos.
* à, au, à l', aux
* avec
* dans
* de, du, des, de la
* en
* par
* pour
* sans
* sur
** avant
*** après
*** devant

Verbs
* être
* avoir
* aller
* donner
* il dit
** appeler
** montrer
*** parler
*** demander
*** il répond

Conjunc.
* et
* mais
* si

Nouns
* enfant
* femme
* homme
* jour
*** monsieur
*** madame
*** mademoiselle
*** la maison
*** la porte
*** la fenêtre
*** le garçon
*** le livre
*** le papier
*** la plume
*** l'encre
*** la salle (de classe)
*** l'élève

Adverbs
*où
* comme
* plus
* pas
** aussi
** très
** quand
** toujours
*** oui
*** non

Numbers
*** un
*** deux
*** trois
*** quatre
*** cinq
*** six
*** sept
*** huit
*** neuf
*** dix

APPENDIX B

I. A Study of Cognates

When the Normans invaded England, they imposed their native tongue on the English people. For two centuries, French remained the official language of the country. As a result, the English language of today contains many words of French origin. About two-fifths of the English vocabulary is derived from the French. Occasionally these words look exactly alike but usually, due to changes in pronunciation, their spelling has been modified. Such words are called cognates, and with a little practice they are easily recognized. A systematic study of the most important of them will help you greatly in enlarging your vocabulary with a minimum effort.

Procedure: Read the French word first, then its English cognate below it:

1. Many French verbs ending in **-er** have English cognates ending in *-e*:

désirer	**inviter**	**continuer**	**trembler**	**arriver**
to desire	to invite	to continue	to tremble	to arrive

2. Sometimes the ending **-er** disappears in English:

accepter	**préférer**	**résister**	**détester**	**représenter**
to accept	to prefer	to resist	to detest	to represent

3. In other verbs the ending **-er** changes to *-ate*:

hésiter	**séparer**	**circuler**	**méditer**	**irriter**
to hesitate	to separate	to circulate	to meditate	to irritate

4. Some verbs ending in **-ier** have cognates ending in *-y*:

signifier	**envier**	**vérifier**	**justifier**	**certifier**
to signify	to envy	to verify	to justify	to certify

5. In other verbs the ending **-uer** changes to *-ute*:

contribuer	**constituer**	**distribuer**	**substituer**
to contribute	to constitute	to distribute	to substitute

6. Many verbs ending in **-ir** in French have cognates ending in *-ish*:

finir	**punir**	**polir**	**accomplir**	**périr**
to finish	to punish	to polish	to accomplish	to perish

7. A number of French nouns ending in **-é** have cognates ending in *-y*:

beauté	**simplicité**	**activité**	**anxiété**	**captivité**
beauty	simplicity	activity	anxiety	captivity

8. Other nouns ending in **-eur** have cognates in *-or*:

empereur	**conspirateur**	**rumeur**	**gouverneur**	**erreur**
emperor	conspirator	rumor	governor	error

9. Sometimes the ending **-re** is reversed into *-er*:

lettre	**ordre**	**coffre**	**théâtre**	**tigre**	**offre**	**octobre**	**nombre**
letter	order	coffer	theater	tiger	offer	october	number

10. Nouns ending in **-ie** in French often end in *-y* in English:

envie	**infamie**	**perfidie**	**cérémonie**	**furie**	**apathie**	**énergie**
envy	infamy	perfidy	ceremony	fury	apathy	energy

11. The endings **-aire** or **-oire** change often into *-ary* and *-ory*:

adversaire	**nécessaire**	**contraire**	**promontoire**	**victoire**
adversary	necessary	contrary	promontory	victory

12. The spelling of **on** or **om** is often represented by *oun* in English:

dénoncer	**annoncer**	**prononcer**	**profond**	**comte**
to denounce	to announce	to pronounce	profound	count

13. Initial **es** or **e** frequently change to *s* in English:

étranger	**étrange**	**étudier**	**esclave**	**état**
stranger	strange	study	slave	state

14. An adjective or a noun ending in **-e** in French will sometimes lose that *e* in English:

riche	**calme**	**soupe**	**victime**	**injuste**	**vaste**	**paire**	**signe**
rich	calm	soup	victim	injust	vast	pair	sign

15. The consonant **qu** is likely to change into *c*, *k*, or *ck*:

masque	**risque**	**attaque**	**banque**	**remarquer**	**indiquer**
mask	risk	attack	bank	to remark	to indicate

16. A number of adjectives ending in **-el** (feminine **-elle**) have cognates ending in *-al*:

mortel	**criminel**	**éternel**	**naturel**	**perpétuelle**	**personnelle**
mortal	criminal	eternal	natural	perpetual	personal

17. A great number of adjectives ending in **-eux** (feminine **-euse**) change this ending to -*ous*:

sérieux	**dangereux**	**anxieux**	**gracieuse**	**joyeuse**	**hasardeuse**
serious	dangerous	anxious	gracious	joyous	hazardous

18. Adjectives ending in **-if** (feminine **-ive**) will often have cognates ending in -*ive*:

pensif	**furtif**	**attentif**	**lucratif**	**convulsif**
pensive	furtive	attentive	lucrative	convulsive

Note: The feminine form of these adjectives resembles the English cognate.

19. A circumflex accent in French often replaces an *s* which has remained in the English cognate:

arrêter	**intérêt**	**hâte**	**hôte**	**honnête**	**châtiment**	**île**
to arrest	interest	haste	host	honest	chastisement	isle

20. In many French words, the letter **d** has disappeared, especially before a **g** or a **v**:

avantage	**avancer**	**juge**	**jugement**	**aventure**	**loger**
advantage	to advance	judge	judgment	adventure	to lodge

21. Many cognates differ from each other by only one or two letters:

objet	**succéder**	**répéter**	**approcher**	**raison**	**scrupule**
object	to succeed	to repeat	to approach	reason	scruple

22. Other cognates have undergone more profound changes; for instance:

geste	**perfide**	**habitude**	**silencieux**	**somme**
gesture	perfidious	habit	silent	sum

23. The ending **-ant** in verbs and adjectives corresponds to -*ing* in English:

charmant	**amusant**	**tremblant**	**hésitant**	**désirant**
charming	amusing	trembling	hesitating	desiring

24. Adverbs in French end in **-ement** which corresponds to the ending -*ly* in English:

naturellement	**secrètement**	**finalement**	**simplement**
naturally	secretly	finally	simply

A slight change in spelling occurs with adjectives ending in **-ent** and **-ant**:

patient	**prudent**	**négligent**	**constant**
patiemment	**prudemment**	**négligemment**	**constamment**
patiently	prudently	negligently	constantly

25. There are of course a number of cognates which do not fall into any one category but with the help of the context you probably will guess their meaning. Can you offhand guess the meaning of the following?

1. un habitant	6. le gouvernement	10. un philanthrope	14. le déshonneur
2. le capitaine	7. le géant	11. jaloux	15. plonger
3. un officier	8. le manuscrit	12. incrédule	16. une conspiration
4. le prisonnier	9. régulier	13. ridicule	17. soudain
5. la tentation			

A word of caution:

The meanings of the preceding cognates correspond fairly well with each other. There are other cognates, however, which have slightly different meanings and although they give you a valuable clue as to their probable meaning, they are best translated by another word. For instance, the word **cadavre** has a cognate, *cadaver*, but this word is used as a medical term; however, it evokes the idea of a *dead body* and this is all you need to understand the meaning of the word. In a like manner:

> **visage** (*cogn.* visage) evokes the idea of a *face*
> **sévère** (*cogn.* severe) evokes the idea of something *harsh, stern*
> **profond** (*cogn.* profound) evokes the idea of something *deep, etc.*

Remember, you do not have to *translate* the word, you only have to understand its meaning, for reading is nothing more than the understanding of *ideas*. Let the cognate give you a *clue* to help you in understanding the meaning of the sentence.

Sometimes, though rarely, you will come upon a word which looks like an English cognate but is not, for it has quite a different meaning. Such words are called "deceptive cognates," and it is well to be aware of their existence. However, their meanings are generally so far apart that the general meaning of the context makes it quite clear that they are not cognates. For, in the last analysis, you must rely heavily on the context to understand the true meaning of a word. Above all, do not translate word for word, but try to understand the general meaning of a sentence. Reading is not translating; and, in the early stages, translation is the enemy of good reading. It is for that reason that we have reduced to a minimum the difficulties of vocabulary and sentence structure, in order that you may learn to read smoothly, with ease and enjoyment, and acquire the good habits which are essential to a good reader.

II. A FEW PRELIMINARY NOTES BEFORE READING CHAPTER I

a. The use of prepositions varies considerably from one language to another; moreover the same preposition has many meanings in any one language. Since prepositions are used to link two words together, you must let the meaning of the sentence guide you in order to grasp the meaning of the preposition. Let your mind remain open and supple, not hidebound by the single meaning which you happen to know, and you will have no difficulty. Take, for instance, the following expressions with the preposition omitted:

Pale ———— envy   A man ———— a morose expression
He has much influence ———— the king

Can you supply the missing prepositions? Of course you can. How did you do it? You simply jumped from one word to the next and linked them in your mind. This is exactly what you must do in French, no matter what preposition is used. As a matter of fact, in the preceding phrases we would use three different prepositions in French: **de, à, auprès de,** all of them meaning *with* in English.

There is however one restriction to this general rule: just as in English, the meaning of a verb changes sometimes according to the preposition which follows it. To *look at* something is not the same as to *look for* something or to *look out*; but in such cases we would consider such a combination as an idiomatic expression and learn it as such.

Another interesting case is the one governing the use of prepositions with the present participles. The only preposition which can be used in French is **en,** while quite a number of them can be used in English. As a result, **en entrant** may mean *on entering, upon entering, while entering, by entering, etc.* Here again, you must rely on the meaning of the sentence to give you the exact meaning of the preposition.

b. Verb tenses. The story is mostly written in the present tense which is permissible in a French narrative. However, there are times when it is imperative to use other tenses. The only one which we will ask you to recognize at first is the past indefinite because it is quite easy for most verbs. For instance, the forms for the regular verbs are as follow:

Verbs ending in **-er**:

parler (to speak)	**inviter** (to invite)	**amasser** (to amass)
il a parlé	**il a invité**	**il a amassé**
he has spoken	he has invited	he has amassed
or he spoke	*or* he invited	*or* he amassed

Verbs ending in **-ir**:

punir (to punish)	**finir** (to finish)	**accomplir** (to accomplish)
il a puni	**il a fini**	**il a accompli**
he has punished	he has finished	he has accomplished
or he punished	*or* he finished	*or* he accomplished

Verbs ending in **-endre** or **-ondre**:

vendre (to sell)	**répondre** (to answer)	**attendre** (to wait for)
il a vendu	**il a répondu**	**il a attendu**
he has sold	he has answered	he has waited for
or he sold	*or* he answered	*or* he waited for

The past participles of irregular verbs which present some difficulty are either translated in the text or put in the margin to be learned as new words.

Since the future tense is rather difficult, it is often replaced by the immediate future which uses the verb "to go" as in English, *i.e.*:

nous allons dîner	**je vais accepter**
we are going to dine	I am going to accept, *etc.*

As we go along, chapter by chapter, we shall try to give you more information which we hope you will find of great help to your reading. Do not fail to read these sections.

APPENDIX C

CHAPTER I

I. Idiomatic Expressions

In every language, there are expressions peculiar to that language which must be understood *as a whole*. They are called idiomatic expressions and we assume that you know already the following:

> **il y a**   there is, there are
> **voici**   here is;   **le voici**   here it (he) is
> **voilà**   there is;   **le voilà**   there it (he) is
> **beaucoup de**   many, a lot of
> **s'il vous plaît**   if you please
> **est-ce que, qu'est-ce que**   (as a sign of a question)
> **ne . . . pas**   (as a sign of a negative sentence)
> **c'est**   it (he, she, this, that) is

a. Compare the following expressions:

il **ne** répond **pas**	he does not answer
il **ne** répond **rien**	he answers nothing
il **ne** répond **à personne**	he answers no one
personne ne répond	no one answers

b. Study the following expressions:

avant de répondre	before answering
sans protester	without protesting
pour entrer	for entering

In French, prepositions (except **en**) are followed by the infinitive, while in English they are followed by the present participle (except **to**).

c. Note that the verb **aller** is used with an infinitive to express the immediate future:

je vais vous donner	I am going to give you
il va vous fournir	he is going to furnish you
nous allons l'apercevoir	we are going to see it

128

II. Verbs

You are supposed to know three very important verbs in the present indicative; they are the verbs *to be, to have, to go.* Here they are; go over them quickly.

être		avoir		aller	
je	suis	j'	ai	je	vais
tu	es	tu	as	tu	vas
il	est	il	a	il	va
nous	sommes	nous	avons	nous	allons
vous	êtes	vous	avez	vous	allez
ils	sont	ils	ont	ils	vont

III. Comprehension Test

Of the three choices following each statement, select the one that best completes it according to the story:

1. Le *Pharaon* est (1) un bateau (2) un grand port (3) un homme riche.
2. Le *Pharaon* arrive (1) de Marseille (2) de Bombay (3) de Calcutta.
3. Mercédès est la fiancée (1) de Fernand Mondego (2) d'Edmond Dantès (3) de Monsieur Morel.
4. Danglars est (1) le capitaine du *Pharaon* (2) le cousin de Mercédès (3) un officier sur le *Pharaon.*
5. M. Morel dit (1) qu'il va donner la place de capitaine à Danglars (2) que Dantès a remplacé admirablement le capitaine Leclerc (3) qu'il va diriger lui-même le bateau.
6. Danglars est jaloux de Dantès (1) parce que Dantès a remplacé le capitaine (2) parce que Mercédès l'aime (3) parce que Dantès est riche.
7. Danglars dit à M. Morel que Dantès est (1) un excellent officier (2) un agent de police (3) un conspirateur.
8. M. Morel est heureux (1) parce que son bateau arrive à Marseille (2) parce qu'il va revoir son fils (3) parce que Dantès lui donne une lettre de l'île d'Elbe.

CHAPTER II

I. Idiomatic Expressions

Study the following expressions:

avoir l'air . . .	to look . . .
avoir l'air heureux	to look happy
avoir l'air jaloux	to look jealous

de . . . en . . .	from . . . to . . .
de temps en temps	from time to time
de place en place	from place to place
je viens de + *inf.*	I have just + *past part.*
je viens de rencontrer	I have just met
je viens de voir	I have just seen

II. Word Study

a. Did you notice that the following adjectives have an irregular form in the feminine?

Masc.	*Fem.*	*Masc.*	*Fem.*
long	longue	hasardeux	hasardeuse
blanc	blanche	personnel	personnelle
beau (bel)	belle	furtif	furtive
bon	bonne		

b. Note the difference of meaning between:

voir to see   *and*   **re**voir to see again

appeler to call   *and*   **ra**ppeler to call back

The prefix **re** (**r**) in front of a verb means generally "again" or "back." Sometimes, however, the meaning varies slightly:

il **entre**	he enters
il **rentre**	he re-enters *and also* he comes back
il **s'approche**	he comes near
il **se rapproche**	he comes nearer

c. A word often has different meanings and you must rely on the text to understand its particular meaning in a given sentence. You have already seen that the words **toujours** and **encore** have different meanings in the following sentences:

Le spectacle est **toujours** intéressant (always).

Il ne dit **toujours** rien (still).

Je vais les séparer pour **toujours** (ever).

Il le regarde **encore** (again).

Il hésite **encore** (still).

Il n'est pas **encore** capitaine (yet).

III. Verbs

We assume that you know the conjugation of the regular verbs in the present indicative. To make sure you do, go over quickly the following verbs:

parler		**finir**		**attendre**		**répondre**	
je	parle	je	finis	j'	attends	je	réponds
tu	parles	tu	finis	tu	attends	tu	réponds
il	parle	il	finit	il	attend	il	répond
nous	parlons	nous	finissons	nous	attendons	nous	répondons
vous	parlez	vous	finissez	vous	attendez	vous	répondez
ils	parlent	ils	finissent	ils	attendent	ils	répondent

NOTE: *Generally* when the ending of the first person singular of the present indicative is **-s**, the ending of the third person singular is **-t**:

je sais	je dis	je vois	j'aperçois	j'écris
il sait	il dit	il voit	il aperçoit	il écrit

IV. COMPREHENSION TEST

Read the following statements and tell whether they are true or false according to the story:

1. Danglars va voir Fernand dans sa petite maison.
2. Fernand aime sa belle cousine Mercédès.
3. Fernand déteste Dantès parce qu'il est son rival.
4. Danglars a en sa possession une lettre de Napoléon.
5. Il va donner cette lettre à la police.
6. M. Morel écrit une lettre au procureur du roi.
7. Danglars ne sait pas que Fernand a dénoncé Dantès.
8. Dantès a invité ses amis à un beau dîner.
9. Fernand refuse d'entrer dans le café.
10. De temps en temps il regarde dans la rue.
11. Des agents de police s'avancent vers le café.
12. Un agent de police demande: Où est M. Morel?
13. M. Morel est accusé d'être un conspirateur.
14. M. Morel dit à Dantès de ne pas résister à l'agent de police.
15. Edmond dit qu'il est la victime d'un acte de jalousie.

CHAPTER III

I. IDIOMATIC EXPRESSIONS

Study the following expressions:

à cause de . . . on account of . . .
à cause de son père   on account of his father
à cause de ses opinions   on account of his opinions

II. WORD STUDY

Note the different meanings of the word **quel**:

quel triomphe!	what a triumph!	**quel triomphe?**	what triumph?
quel scandale!	what a scandal!	**quel scandale?**	what scandal?

On the other hand, **lorsque, quand,** and **où** are synonyms in the following sentences:

quand il entre   when he enters
lorsqu'il entre   when he enters
le jour **où** il est entré   the day when he entered

III. VERBS

Study the following verb forms in the imperative:

conduisez	**suivez**	**allez**
take	follow	go

In French, as in English, the imperative does not require any subject; the corresponding forms for the first person plural are:

conduisons	**suivons**	**allons**
let us take	let us follow	let us go

As a rule the forms for the imperative are the same as the forms for the first and second persons plural of the present indicative.

IV. COMPREHENSION TEST

Of the three choices following each statement, select the one that best completes it according to the story:

1. Monsieur de Villefort est (1) ambitieux (2) bonapartiste (3) généreux.
2. M. de Villefort montre à Dantès (1) la lettre de Fernand (2) un ordre secret (3) une lettre de l'empereur.
3. Dantès dit que c'est (1) Napoléon (2) Danglars (3) un marin, qui lui a donné cette lettre.
4. C'est (1) M. Morel (2) Fernand (3) Danglars qui a dénoncé Dantès.
5. Quand Dantès dit le mot «*Noirtier,*» le procureur du roi (1) sourit (2) devient pâle (3) embrasse Dantès.
6. Le procureur sait (1) que son père est innocent (2) que Danglars est un conspirateur (3) que Dantès est innocent.
7. La lettre que Dantès a en sa possession est une lettre (1) de l'empereur (2) d'un agent bonapartiste (3) de M. Noirtier.

8. L'agent principal de la conspiration est (1) M. de Villefort (2) M. Noirtier (3) un marin.

9. M. de Villefort donne l'ordre (1) de conduire Edmond en prison (2) d'arrêter son père (3) d'arrêter M. Morel.

10. M. de Villefort a condamné Dantès (1) parce que c'est un conspirateur (2) pour sauver sa réputation et sa fortune (3) parce qu'il aime beaucoup son père.

CHAPTER IV

I. Idiomatic Expressions

Study the following expressions:

il fait jour	it is daylight
il fait nuit	it is night time
ni . . . ni	neither . . . nor
ni juges **ni** magistrats	neither judges nor magistrates
ni parents **ni** amis	neither parents nor friends
le (**la, les**) **plus** . . .	the most . . .
le plus grand calme	the greatest calm
la plus belle fille	the most beautiful girl
les plus longs voyages	the longest voyages

II. Word Study

Note the different meanings of the word **jamais**:

il ne le voit **jamais**	he *never* sees him
si **jamais** je le vois	if I *ever* see him

III. Verbs

Of all tenses, the present indicative is the most irregular because its stem changes often according to the number of the subject. However, barring a few exceptions, it remains the same for the three persons (*sing.* and *pl.*). The endings are, as a rule:

s, s, t, ons, ez, ent

Therefore, if any one of the persons is known in the singular and the plural, the whole tense can be reconstituted as follows:

	sortir		**conduire**		**suivre**
(known)	**je** **sors**	je	conduis	je	suis
	tu sors	tu	conduis	tu	suis
	il sort	(known)	**il** **conduit**	(known)	**il** **suit**
	nous sortons	nous	conduisons	nous	suivons
	vous sortez	(known)	**vous** **conduisez**	(known)	**vous** **suivez**
(known)	**ils** **sortent**	ils	conduisent	ils	suivent

IV. Comprehension Test

Read the following statements and tell whether they are true or false according to the story:

1. Monsieur de Villefort conduit lui-même Dantès au château d'If.
2. On attend la nuit pour aller au port.
3. Les gardes ne parlent pas au prisonnier.
4. On se dirige en bateau vers le château d'If.
5. Dantès se demande avec inquiétude pourquoi on va au château d'If.
6. Le gouverneur refuse de voir Dantès.
7. Dantès refuse de répondre aux questions du gouverneur.
8. On conduit le malheureux Dantès dans un cachot.
9. Dantès écrit une lettre au roi pour demander justice.
10. Le garde prend la lettre et la donne au gouverneur.
11. Le gouverneur lit toujours les lettres des prisonniers.
12. Dantès, dans son désespoir, refuse de manger.
13. S'il sort jamais de prison, il réserve une terrible vengeance à ses ennemis.

CHAPTER V

I. Idiomatic Expressions

Study the following expressions:

Depuis quand travaillez-vous?   **Je travaille depuis** cinq ans.
How long have you been working?   *I have been working for* five years.

Depuis quand êtes-vous en prison?   **J'y suis depuis** six ans.
How long have you been in prison?   *I have been there for* six years.

Depuis, je ne sais rien.   **Depuis qu'il est** ici, il ne sait rien.
Since then, I know nothing.   *Since he has been* here, he knows nothing.

II. Word Study

The word **même** has several meanings: as an adjective, its meaning is different according to whether it is placed before or after the noun; it is used also as an adverb and as a pronoun.

adj. (before noun)	*adj.* (after noun)	*adverb*	*pronoun*
le **même** jour	le jour **même**	je ne sais **même** pas	lui-**même**
the *same* day	the *very* day	I do not *even* know	*himself*

III. Verbs

Reflexive verbs:

You have seen already such verbs as: **il s'approche, il s'arrête, il s'inquiète.** The infinitive of these verbs is always preceded by **se** which can be translated, though not always, by *self.* It conveys the idea that the subject and object are one. We give you for further reference the pattern of these verbs in the present indicative:

se diriger	**s'arrêter**	**se dire**
to direct (one's steps)	to stop (oneself)	to say (to oneself)
je me dirige	je m' arrête	je me dis
tu te diriges	tu t' arrêtes	tu te dis
il se dirige	il s' arrête	il se dit
nous nous dirigeons	nous nous arrêtons	nous nous disons
vous vous dirigez	vous vous arrêtez	vous vous dites
ils se dirigent	ils s' arrêtent	ils se disent

Observe the following forms:

nous allons **nous** voir	ils **se** regardent	vous **vous** parlez
we are going to see	they look at	you speak to
each other	*each other*	*each other*

These forms are identical to the forms of reflexive verbs, but they are in fact the forms of reciprocal verbs and the pronouns are translated *each other* or *to each other.*

IV. Comprehension Test

Tell whether the following statements are true or false according to the story:

1. Le désir de la vengeance donne du courage à Dantès.
2. L'homme qu'il déteste le plus, c'est le gouverneur de la prison.
3. Dantès est un homme simple et sans éducation.
4. Le temps semble long à Dantès parce qu'il ne peut rien faire.
5. Une nuit, Dantès entend un prisonnier qui l'appelle.

6. Le bruit semble venir de l'autre côté de la porte.
7. Dantès frappe à son tour trois fois contre la porte.
8. Edmond Dantès est en prison depuis six ans.
9. L'autre prisonnier s'appelle l'abbé Faria.
10. Il est en prison pour avoir conspiré contre Napoléon.
11. L'abbé Faria entre dans le cachot de Dantès.
12. Dantès raconte son histoire à l'abbé Faria.
13. Dantès est sûr que c'est sa fiancée qui l'a dénoncé.
14. Les deux prisonniers vont dans le cachot de Faria.
15. Faria est ingénieux et a fait beaucoup de choses.
16. Il dit que le temps passe lentement quand on ne fait rien.
17. Avant de venir en prison, Faria a étudié beaucoup.
18. Il propose à Dantès d'étudier avec lui.

CHAPTER VI

I. Idiomatic Expressions

Note the difference in meaning between:

tout le jour	**toute la** journée	**toute la** nuit
the whole day long	all day long	the whole night
and	*and*	*and*
tous les jours	**toutes ses** journées	**toutes les** nuits
every day	all his days	every night

II. Word Study

Verbs preceded in the infinitive by **se** have sometimes a different meaning from the same simple verb. You have already seen the following examples:

diriger	to direct	*and*	**se diriger**	to go towards
apercevoir	to see	*and*	**s'apercevoir**	to notice
demander	to ask	*and*	**se demander**	to wonder
arrêter	to arrest	*and*	**s'arrêter**	to stop
appeler	to call	*and*	**s'appeler**	to be named

III. Verbs

Did you notice the slight changes in the stem of the following verbs?

jeter	**appeler**	**enlever**
vous je-tez	vous appe-lez	vous enle-vez
ils jet-tent	ils appel-lent	ils enlè-vent

These changes are due to the fact that if the last syllable of the *stem* is a mute **e**, the stem is reënforced before the endings **e, es, ent** by doubling the consonant (ils jettent) or by changing the **e** to **è** (ils enlèvent).

IV. Comprehension Test

Of the three choices given with each statement, select the one which best completes it according to the story:

1. Dantès va dans le cachot de Faria pour (1) dormir (2) manger (3) travailler.
2. L'abbé Faria est (1) un homme de grande distinction (2) le cousin du cardinal Spada (3) un homme très ignorant.
3. Sous l'influence de Faria, Dantès devient (1) un homme brutal (2) un homme aux manières élégantes (3) très malheureux.
4. Dantès (1) est jaloux de l'abbé Faria (2) aime l'abbé comme son père (3) n'a pas assez d'intelligence pour apprendre.
5. Faria a décidé (1) de sortir de prison (2) de devenir secrétaire (3) de révéler son secret à Dantès.
6. Ce secret concerne (1) un trésor (2) un beau manuscrit (3) une conspiration.
7. Faria a trouvé un testament (1) dans sa prison (2) dans un manuscrit (3) dans une grotte.
8. Le vieux testament est écrit (1) en français (2) en italien (3) en latin.
9. Le trésor est caché (1) dans une grotte (2) à Milan (3) dans la maison du cardinal Spada.
10. Monte-Cristo est (1) une île (2) une prison (3) une forteresse.
11. L'abbé Faria a décidé (1) de cacher le trésor dans une île (2) de le donner à la France (3) de le donner à Dantès.
12. Le trésor est à celui qui le trouve, parce que (1) il est bien caché (2) il est dans une île déserte (3) il n'y a plus personne de la famille Spada.
13. L'île de Monte-Cristo est (1) grande (2) déserte (3) habitée.
14. Dantès dit qu'avec la liberté et le trésor (1) la vengeance est à lui (2) la vengeance devient impossible (3) il ne va plus penser à la vengeance.
15. L'abbé Faria est très troublé par (1) l'indifférence de Dantès (2) l'idée qu'on a déjà trouvé le trésor (3) le désir de vengeance de Dantès.

CHAPTER VII

I. Idiomatic Expressions

Compare the following expressions:

Il dépense **plus de** quinze millions. He spends *more than* 15 millions.
Je dépense **plus que** lui. I spend *more than* he does.

Il dépense **plus d'**argent maintenant. He spends *more* money now.
Il **ne** dépense **plus** d'argent maintenant. He does *not* spend *any more* money now.

> **de trois côtés**   *on three sides*
> **de quel côté?**   *which way?*
> **de l'autre côté** du mur   *on the other side* of the wall
> **de ce côté**   *in that direction, this way*
> **à côté du** mur   *near* the wall

> **de plus en plus . . .**   *more and more . . .*
> **de plus en plus** malheureux   *more and more* unhappy
> **de plus en plus** fatigué   *more and more* fatigued

plus . . . plus . . .   *the more . . . the more . . .*
Plus il l'examine, **plus** elle lui plaît. *The more* he examines it, *the more* he likes it.
Plus il y pense, **plus** il le désire. *The more* he thinks of it, *the more* he wants it.

II. WORD STUDY

The word **heure** has different meanings such as:

> **Quelle heure** est-il?   *What time* is it?
> Il est **six heures**.   It is *six o'clock*.
> **en** quelques **heures**   *within* a few *hours*
> **de bonne heure**   *early*
> **A la bonne heure!**   *Good!*

III. VERBS

a. In French, the auxiliary *to be* is sometimes used instead of the auxiliary *to have* in the past indefinite. Compare, for instance, the following expressions:

il **a** donné (he gave)	*with*	il **est** allé (he went)
il **a** fini (he finished)	*with*	il **est** arrivé (he arrived)
il **a** regardé (he looked)	*with*	il **est** sorti (he went out)
il **a** demandé (he asked)	*with*	il **est** monté (he went up)

Note that these verbs are all translated as if the auxiliary *to have* was used in all the cases.

b. Barring a very few exceptions, compound verbs follow the same pattern for their conjugation as the main verb. For instance:

> **reprendre, apprendre, comprendre** are conjugated like **prendre**
> **revenir, devenir, convenir, prévenir** like **venir**

IV. Comprehension Test

Tell whether the following statements are true or false according to the story:

1. Une nuit, l'abbé Faria vient voir Dantès dans son cachot.
2. Il est très malade et Dantès appelle au secours.
3. Un garde reste près de Dantès toute la nuit.
4. Le garde donne à Dantès la permission de rester avec Faria.
5. Personne ne dit à Dantès que Faria est mort.
6. Au château d'If, on jette les prisonniers morts à la mer.
7. Dantès entre dans le cachot de Faria quand le garde n'est plus là.
8. Dantès est bien triste parce qu'il va rester seul.
9. L'idée lui vient de prendre la place de Faria dans le sac.
10. Un garde arrive et voit Dantès dans le cachot de Faria.
11. Furieux, le garde frappe Dantès et le met dans un sac.
12. On emporte Dantès qui crie et proteste dans le sac.
13. Les gardes jettent Dantès et Faria à la mer.
14. Dantès ouvre le sac et revient à la surface de la mer.
15. Dantès se met à nager, heureux d'être libre.
16. Mais sa fatigue devient de plus en plus grande.
17. Un moment arrive où Dantès ne peut plus nager.
18. Soudain un bateau arrive et Dantès est sauvé.

CHAPTER VIII

I. Idiomatic Expressions

Study the following expressions:

> **il y a** six semaines   six weeks *ago.*
> **Il y a** six semaines **qu'il est** ici.   *He has been* here *for* six weeks.
> **Il a six ans.** *He is six years old.*
> **Quel âge avez-vous ?** *How old are you?*
> **Il est devenu** riche. *He has become rich.*
> **Qu'est-elle devenue ?** *What has become of her?*

II. Word Study

a. Related words. Study the following:

> **deux, le deuxième**
> **trois, le troisième**
> **cent, le centième**

Ordinal numbers are formed by adding **-ième** to the cardinal numbers. Exceptions: **le premier** (the first); **le dernier** (the last).

b. Note the different meanings of the verb **devoir**:

> **Je dois aller** à Marseille.   *I am to go* to Marseille.
> **Il ne doit pas** parler.   *He must not* speak.
> incertain **s'il doit** continuer   uncertain *if he ought* to go on
> **Je vous dois** la vie.   *I owe you* my life.

III. Verbs

Some irregular verbs are not too difficult to recognize because an important part of the stem is kept throughout the tense. Study the following verbs:

par-tir		**dor-mir**		**met-tre**		**per-dre**	
je	pars	je	dors	je	mets	je	perds
tu	pars	tu	dors	tu	mets	tu	perds
il	part	il	dort	il	met	il	perd
nous	partons	nous	dormons	nous	mettons	nous	perdons
vous	partez	vous	dormez	vous	mettez	vous	perdez
ils	partent	ils	dorment	ils	mettent	ils	perdent

Note that in the plural, the stem resembles closely that of the infinitive:

> **part**-ir   **dorm**-ir   **mett**-re   **perd**-re

IV. Comprehension Test

Tell whether the following statements are true or false according to the story:

1. On transporte Dantès sur le bateau la *Santa Lucia*.
2. Le capitaine demande à Dantès s'il vient du château d'If.
3. Le capitaine a besoin d'un pilote.
4. Les marins de la *Santa Lucia* n'aiment pas Dantès.
5. Ils ne l'aiment pas parce qu'il est Français.
6. Jacopo apporte quelque chose à manger à Dantès.
7. Soudain on entend le canon du château d'If.
8. C'est le signal que l'on vient d'exécuter un prisonnier.
9. Dantès devient très pâle, mais il continue de manger.
10. Le capitaine croit que Dantès est probablement un prisonnier.
11. Mais il a besoin d'un pilote et il ne dit rien.
12. Le capitaine voit que Dantès est mort de fatigue.
13. Il lui dit d'aller dormir pendant quelques heures.
14. C'est Jacopo qui a sauvé la vie à Dantès.
15. Le capitaine demande à Dantès de les accompagner en France.
16. Les marins ont un rendez-vous à l'île de Monte-Cristo.
17. Dantès refuse d'aller avec eux à Monte-Cristo.
18. Il préfère y aller seul pour chercher son trésor.

CHAPTER IX

I. IDIOMATIC EXPRESSIONS

Study the following expressions:

Il a besoin d'un pilote.   *He needs* a pilot.
pousser un cri   *to utter a cry*
se faire entendre   *to be heard*

tout en . . .   *while . . .*
tout en mangeant   *while* eating
tout en parlant   *while* speaking

huit jours   *a week*
quinze jours   *a fortnight*
ce qui   *that which, what*
ce que   *that which, what*

Note the difference in meaning between:

Il mange **peu.**   He eats *very little.*
Il mange **un peu.**   He eats *a little.*
Il mange **un peu de** pain.   He eats *a bit of* bread.
Il mange **peu de** pain.   He eats *very little* bread.

II. VERBS

An important group of verbs have endings somewhat similar to the endings of the regular verbs in **-ir** (**-issons** changing into **-aissons**):

paraître		**disparaître**		**connaître**	
je	parais	je	disparais	je	connais
tu	parais	tu	disparais	tu	connais
il	paraît	il	disparaît	il	connaît
nous	paraissons	nous	disparaissons	nous	connaissons
vous	paraissez	vous	disparaissez	vous	connaissez
ils	paraissent	ils	disparaissent	ils	connaissent

III. COMPREHENSION TEST

Of the three choices given with each statement, select the one which completes it best according to the story:

1. Dantès est (1) impatient (2) tranquille (3) malheureux.
2. Il dit aux marins d'aller dormir parce que (1) il fait nuit (2) ils sont morts de fatigue (3) Dantès veut rester seul.

3. Dantès doit trouver un prétexte pour (1) diriger le bateau (2) rester seul dans l'île (3) ne pas travailler.
4. Quand on arrive à Monte-Cristo, Dantès (1) reste sur le bateau (2) dort dans sa cabine (3) saute dans un canot (rowboat).
5. L'accident de Dantès (1) n'est pas sérieux (2) est très grave (3) arrive sur le bateau.
6. Dantès demande qu'on le laisse dans l'île avec (1) des marchandises (2) des provisions (3) Jacopo.
7. Dantès cherche (1) quelque chose à manger (2) l'ouverture de la grotte (3) un petit bateau.
   On a fermé l'ouverture de la grotte avec (1) des rochers (2) un grand mur (3) une grande porte.
9. Dantès déplace les rochers avec (1) ses mains (2) une torche (3) de la poudre (powder).
10. Pour voir dans la grotte Dantès (1) allume une torche (2) ouvre la fenêtre (3) déplace un rocher.
11. Le trésor est (1) dans un coffre (2) dans un sac (3) sous une grosse pierre.
12. Dantès croit être la victime (1) de bandits (2) du capitaine (3) d'une hallucination.

CHAPTER X

I. IDIOMATIC EXPRESSIONS

Study the following expressions:

Il part **aussitôt.**   He leaves *immediately.*
Il va partir **aussitôt que** possible.   He will leave *as soon as* possible.

Il reste là, **attendant** son ami.   He remains there, *waiting for* his friend.
En attendant, continuez votre travail.   *Meanwhile,* go on with your work.

Il **laisse tomber** quelque chose.   He *lets* something *fall.*
Il **fait tomber** quelque chose.   He *causes* something *to fall.*

Justement, il désire un bateau.   *As it happens,* he wants a boat.
C'est **juste** ce qu'il désire.   It is *exactly* what he wants.

II. WORD STUDY

Study carefully the different meanings of the word **ainsi:**

Tous les prisonniers sont **ainsi . . .**   *thus, like this*
Ainsi, ses ennemis sont devenus riches!   *So . . . !*
S'il en est **ainsi . . .**   If *such* is the case . . .

The adjective **vieux** in front of a vowel becomes **vieil**. Compare with the feminine form **vieille** and the word **vieillard** (old man).

III. VERBS

In this chapter you have probably noticed that the verbs *to have* and *to be* were used in the imperfect tense in the following sentences:

Louis Dantès **avait** un fils.	Louis Dantès *had* a son.
Ils **avaient** fait cela.	They *had* done this.
Edmond **était** son rival.	Edmond *was* his rival.
Ils **étaient** jaloux de lui.	They *were* jealous of him.

It is important that you should learn to recognize these two verbs in the imperfect. Note that this tense can be translated several ways; for instance:

J'avais may mean: I had, I used to have, I was having, I would have (when "would" means "used to").

IV. COMPREHENSION TEST

Tell whether the following statements are true or false according to the story:

1. Dantès remet le coffre en place sans rien prendre.
2. Le bateau la *Santa Lucia* revient le sixième jour.
3. Dantès retourne à Malte où demeure sa famille.
4. Dantès vend tous ses diamants pour cinq mille francs.
5. Le marchand, qui a des soupçons, fait arrêter Dantès.
6. Dantès passe maintenant pour un Anglais très riche.
7. Il va à Gênes pour acheter un bateau.
8. Puis il se rend tout seul à l'île de Monte-Cristo.
9. Il ne peut plus retrouver la grotte où est le trésor.
10. Dantès achète l'île de Monte-Cristo au gouvernement italien.
11. Les années de prison ont bien changé Dantès.
12. Il rentre en France sous le nom de Monte-Cristo.
13. Mercédès habite maintenant dans la maison de M. Dantès.
14. Un vieil ami de M. Dantès reconnaît Edmond.
15. Le père d'Edmond est mort en prison.
16. Il est mort tout seul et sans amis.
17. M. Morel a perdu tous ses bateaux excepté le *Pharaon*.
18. Si le *Pharaon* ne revient pas, M. Morel est ruiné.
19. Les ennemis de Dantès ont prospéré et sont devenus riches.
20. Mercédès s'appelle maintenant la comtesse de Morcef.

CHAPTER XI

I. Idiomatic Expressions

Study the following expressions:

avoir 33 ans   to be 33 years old
avoir raison   to be right
avoir peur   to be afraid
avoir besoin de   to need

combien de livres?   how many *books?*
combien d'argent?   how much *money?*
combien de temps ?   how long?
c'est combien ?   how much?

Note the difference in meaning between:

chercher   to look for, to seek
chercher à   to try (to do something)
aller chercher   to go and fetch
venir chercher   to come for
envoyer chercher   to send for

The two following expressions have the same meaning:

Que s'est-il passé ?   What happened?
Qu'est-il arrivé ?   What happened?

II. Word Study

Look at the following cognates:

décourager	**déplacer**	**désordre**	**déshonneur**
discourage	displace	disorder	dishonor

The prefix **de, dés** in French corresponds to the prefix *dis* in English.

III. Verbs

Learn to recognize the following irregular verbs in the present tense:

li-re		**ri-re**		**vi-vre**		**écri-re**	
je	lis	je	ris	je	vis	j'	écris
tu	lis	tu	ris	tu	vis	tu	écris
il	lit	il	rit	il	vit	il	écrit
nous	lisons	nous	rions	nous	vivons	nous	écrivons
vous	lisez	vous	riez	vous	vivez	vous	écrivez
ils	lisent	ils	rient	ils	vivent	ils	écrivent

IV. COMPREHENSION TEST

Tell whether the following statements are true or false according to the story:

1. M. Banning se présente un jour à la banque Thomson & French.
2. M. Banning veut vendre tous ses billets sur la maison Morel.
3. Si le *Pharaon* ne revient pas, M. Morel est ruiné.
4. M. Banning va ensuite chez M. Morel.
5. La jeune fille qui vient ouvrir la porte reconnaît M. Banning.
6. Elle est sûre que cet Anglais est en réalité Edmond Dantès.
7. M. Morel a l'air inquiet et fatigué.
8. Une rumeur circule que M. Morel ne peut pas payer ses dettes.
9. Soudain, un marin entre dans le bureau de M. Morel.
10. Penelon était le capitaine du *Pharaon*.
11. Il annonce à M. Morel que le *Pharaon* est perdu.
12. L'Anglais donne six mois à M. Morel pour payer ses dettes.
13. L'Anglais se rend à Gênes où l'on a construit le *Pharaon*.
14. Il veut faire construire un bateau tout pareil au *Pharaon*.
15. Il est impossible de construire ce bateau en un an.
16. L'Anglais va à Marseille acheter des marchandises pour le bateau.
17. Il a l'intention de faire du commerce avec l'Orient.
18. Un jour, on apporte à M. Morel tous ses billets payés.
19. M. Morel est sauvé de la ruine et du déshonneur.
20. M. Morel sait que c'est Edmond Dantès qui les a sauvés.

CHAPTER XII

I. IDIOMATIC EXPRESSIONS

Study the following idiomatic expressions with the word **bien**:

Il travaille **bien**.   He works *well.*
Je suis **bien** stupide.   I am *very* stupid.
C'est **bien** difficile.   It is *very* difficult.
C'est bien sa signature.   *It is indeed* his signature.
C'est bien! *All right!*
Eh bien! *Well!*
bien des gens   *many* people
bien du bruit   *much* noise

Observe the different forms of the demonstrative pronoun:

Masc.	*Fem.*	*Masc. Pl.*	*Fem. Pl.*
celui-ci (this one)	**celle-ci**	**ceux-ci**	**celles-ci**
celui qui (the one)	**celle qui**	**ceux qui**	**celles qui**

II. WORD STUDY

Related words:

The knowledge of one cognate can sometimes help you to understand the meaning of a related word which has no cognate in English. Study the relationship between the following words and see if you can guess the meaning of the related words:

Noun	Verb	Adjective
animation	animer	animé
agitation	agiter	agité
consternation	consterner	consterné
indignation	indigner	indigné
satisfaction	satisfaire	satisfait

III. VERBS

The verbs **tenir** and **venir** are generally studied together because their conjugations are very similar. Their numerous compounds are also conjugated in the same way. Note the modification of the stem in the third person plural due to the silent ending:

venir		tenir	
je	viens	je	tiens
tu	viens	tu	tiens
il	vient	il	tient
nous	venons	nous	tenons
vous	venez	vous	tenez
ils	**vien**nent	ils	**tien**nent

IV. COMPREHENSION TEST

Tell whether the following statements are true or false according to the story:

1. Albert de Morcef voyage en Italie avec ses parents.
2. Au moment du Carnaval, il vient beaucoup de gens à Rome.
3. Albert trouve facilement une belle chambre à l'hôtel.
4. Il trouve aussi une voiture et deux chevaux.
5. Mais il est impossible d'avoir une fenêtre sur le Corso.
6. Le comte de Monte-Cristo lui offre une place dans sa voiture.
7. Albert refuse son offre parce qu'il a déjà une voiture.
8. Le comte charme Albert et Frantz par sa politesse.
9. Une belle fille donne un rendez-vous à Albert.
10. Albert attend longtemps, mais la belle fille ne vient pas.
11. C'est le père qui vient à la place de la jeune fille.
12. Il est furieux contre Albert et veut appeler la police.
13. Albert est tombé entre les mains du bandit Luigi Vampa.

14. Albert écrit une lettre au comte pour lui demander de l'argent.
15. Ni le comte ni Frantz n'ont sur eux l'argent de la rançon.
16. Le comte propose à Frantz d'aller trouver Luigi Vampa.
17. Monte-Cristo a autrefois sauvé la vie à Peppino.
18. Les catacombes sont de vieilles prisons de Rome.
19. Frantz paie la rançon d'Albert à Luigi Vampa.
20. Il semble que le comte a arrangé cette affaire avec Luigi Vampa.

CHAPTER XIII

I. IDIOMATIC EXPRESSIONS

The word **tout** (adjective, pronoun, adverb) is used in many idiomatic expressions. Study the following:

a. as an adverb:

Il est **tout** pâle.   He is *very pale.*
L'île est **toute** petite.   The island is *quite* small.
Il a **tout l'air** d'un homme.   He looks *very much* like a man.
Il trouve **tout** naturel.   He finds it *quite* natural.
tout joyeux   *overjoyed*
tout souriant   *all smiles*

b. as a pronoun:

C'est **tout.**   That's *all.*
après **tout**   after *all*
Je veux apprendre **tout.**   I want to learn *everything.*
pas du tout   *not at all*
tout ce que   *all that which*

II. WORD STUDY

Related words: A great number of adjectives and nouns are related in the following manner:

facile	la facilité	grand	la grandeur
agile	l'agilité	blanc	la blancheur
obscur	l'obscurité	profond	la profondeur
beau	la beauté	pâle	la pâleur
triste	la tristesse	imprudent	l'imprudence
vieil	la vieillesse	différent	la différence
riche	la richesse	important	l'importance
poli	la politesse	distant	la distance

III. VERBS

The verb **prendre** and its compounds, although ending in **-endre,** are not regular verbs. The **d** of the stem disappears in the plural and as a consequence there is an adjustment due to the silent ending of the third person plural. Study them carefully; they are important.

prendre		**apprendre**		**comprendre**	
je	prends	j'	apprends	je	comprends
tu	prends	tu	apprends	tu	comprends
il	prend	il	apprend	il	comprend
nous	prenons	nous	apprenons	nous	comprenons
vous	prenez	vous	apprenez	vous	comprenez
ils	pre**nn**ent	ils	appre**nn**ent	ils	compre**nn**ent

IV. COMPREHENSION TEST

Tell whether the following statements are true or false according to the story:

1. On parle de l'arrivée de Monte-Cristo dans tous les salons.
2. Le comte a la réputation d'un homme violent et arrogant.
3. Le comte a acheté un superbe hôtel à Paris.
4. A son arrivée, le comte invite Albert à déjeuner chez lui.
5. Le comte arrive à pied chez son ami Albert.
6. Le comte fait une profonde impression sur les amis d'Albert.
7. Albert demeure dans la même maison que ses parents.
8. Albert croit que sa famille est une vieille famille de France.
9. Le comte est très poli mais froid avec M. de Morcef.
10. M. de Morcef invite le comte à aller avec lui à l'Opéra.
11. Le comte préfère rester pour voir Mme de Morcef.
12. La comtesse devient très pâle en entendant la voix du comte.
13. Mercédès a peur du comte parce qu'il sort de prison.
14. Elle dit à son fils que le comte apporte la mort avec lui.
15. Albert dit que le comte lui a fait la même impression.

CHAPTER XIV

I. IDIOMATIC EXPRESSIONS

Study the following expressions with the word **aussi**:

Il est **aussi** très riche. He is *also* very rich.

Il est **aussi** riche **que** moi. He is *as* rich *as* I am.

Vous l'admirez? **Moi aussi.** You admire him? *So do I.*

Lui **aussi** est très ému. He *too* is deeply moved.

une **aussi** petite somme *such a* small sum

Note the difference in meaning between:

> **Qu'y a-t-il ?**   What is the matter?
> **Qu'avez-vous ?**   What is the matter with you?

Study the meaning of the verb **faire** followed by an infinitive:

> **Il fait construire un bateau.**   He has a boat built.
> **Il fait acheter une maison.**   He has a house bought.

II. WORD STUDY

Study the relationship between the following French words:

capable	juste	patient	possible	limité
incapable	injuste	impatient	impossible	illimité

The prefixes **in, im, il,** have a negative meaning (is not).

III. VERBS

Verbs ending in **-evoir** follow the same pattern:

d-evoir		**rec-evoir**		**aperc-evoir**	
je	dois	je	reçois	j'	aperçois
tu	dois	tu	reçois	tu	aperçois
il	doit	il	reçoit	il	aperçoit
nous	devons	nous	recevons	nous	apercevons
vous	devez	vous	recevez	vous	apercevez
ils	do**i**vent	ils	re**çoi**vent	ils	aper**çoi**vent

Note the slight adjustment in the third person plural due to the silent ending. These verbs have *two* stems which you will find in other tenses:

devoir	recevoir	apercevoir
d-	**rec-**	**aperc-**
dev-	**recev-**	**apercev-**

IV. COMPREHENSION TEST

Of the three choices given with each statement select the one which best completes it according to the story:

1. Le comte de Monte-Cristo va voir (1) Monsieur de Villefort (2) le baron Danglars (3) Madame de Villefort.
2. La banque Thomson & French a envoyé à M. Danglars (1) une grosse somme d'argent (2) un chèque pour un million (3) une lettre qui ouvre un crédit à Monte-Cristo.

3. Le comte de Monte-Cristo montre au baron (1) une lettre du gouvernement italien (2) son passeport (3) deux lettres de crédit.

4. Pendant la première année, le comte va dépenser (1) plusieurs millions (2) cinq cent mille francs (3) très peu d'argent.

5. Le baron Danglars demande au comte (1) la permission de le présenter à Mme Danglars (2) de lui donner de l'argent (3) de l'accompagner chez des amis.

6. Dans le salon de Mme Danglars, le comte est présenté (1) à Maximilien Morel (2) à Mme de Villefort (3) au procureur du roi.

7. On raconte l'histoire (1) d'un horrible accident (2) d'une aventure de la baronne (3) d'un cas d'empoisonnement.

8. Dans la fiole (phial) que le comte, montre aux dames, il y a (1) un poison subtil (2) un parfum très rare (3) un antidote.

9. Les dames, charmées par le comte, (1) acceptent son invitation à un bal (2) l'invitent à venir les voir (3) lui demandent son adresse.

10. Après le départ des dames, le comte (1) reste à dîner avec Mme Danglars (2) ne retrouve pas son élixir (3) donne l'élixir à Mme Danglars.

11. Mme de Morcef invite le comte de Monte-Cristo (1) à un bal (2) à déjeuner (3) à un grand dîner.

12. Pendant le bal, le comte (1) refuse les rafraîchissements (refreshments) (2) accepte quelques fruits (3) danse avec Mme de Morcef.

13. Madame de Morcef demande à Monte-Cristo (1) de dîner avec elle (2) de venir la voir le lendemain (3) de l'accompagner au jardin.

14. Le comte dit à la comtesse (1) qu'il vit seul (2) que son fils est mort (3) qu'il vit avec son père.

15. Le comte a pardonné (1) à ses ennemis (2) à Mercédès (3) à Fernand.

CHAPTER XV

I. Idiomatic Expressions

Study the following expressions:

la femme qu'il a **tant** aimée   the woman whom he loved *so much*
vous faites **tant de** bruit   you are making *so much* noise
il a **tant de** millions   he has *so many* millions
tant que cela dure   *as long as* this lasts

C'est un **lieu** charmant.   It is a charming *place*.
Ce duel va **avoir lieu**.   That duel is going *to take place*.
Au lieu de le tuer, il va se tuer.   *Instead of* killing him, he is going to kill himself.

II. Word Study

Related words: The following words are related to each other, and one or more have English cognates. Can you guess the meaning of those which you do not know?

a. l'honneur, honorer, honorable, déshonorer, déshonorable, le déshonneur
b. diriger, la direction, le directeur, directement
c. la prison, le prisonnier, emprisonner, l'emprisonnement

III. Verbs

You know already the imperfect tense of the verbs *to have* and *to be*. In this chapter, other verbs are used in the same tense, such as **il préférait, il aimait.** The imperfect is not too difficult to recognize since the stem is the same as the stem of the first person plural of the present indicative (except for the verb *to be*). Study the following examples:

finir	**venir**	**devoir**
(nous **finissons**)	(nous **venons**)	(nous **devons**)
je finissais	je venais	je devais
tu finissais	tu venais	tu devais
il finissait	il venait	il devait
nous finissions	nous venions	nous devions
vous finissiez	vous veniez	vous deviez
ils finissaient	ils venaient	ils devaient

Remember, the imperfect may be translated four ways; *i.e.:*

je finissais I finished, I used to finish, I was finishing,
I would finish (when "would" means "used to")

IV. Comprehension Test

Tell whether the following statements are true or false according to the story:

1. Albert rencontre Haydée chez le comte de Monte-Cristo.
2. Le comte explique à Albert que la jeune femme a beaucoup souffert.
3. Il dit à Haydée de raconter son histoire à Albert.
4. Haydée, qui n'aime pas Albert, refuse de parler.
5. Haydée est la fille du Sultan de Constantinople.
6. Son père et sa mère sont prisonniers à Constantinople.
7. Un officier français a ouvert les portes de Janina aux Turcs.
8. Albert dit que cet officier a déshonoré l'armée française.
9. Cet homme est devenu riche et pair de France.
10. C'est Monte-Cristo qui a sauvé la vie à Haydée.

11. Un journal dit que l'officier français s'appelait Mondego.
12. C'est Albert qui a révélé le nom de l'officier au journal.
13. Monte-Cristo vient demander une explication à Albert.
14. Albert et le comte vont se battre en duel.
15. Mme de Morcef vient trouver le comte chez lui.
16. Elle sait que le comte est en réalité Edmond Dantès.
17. Le comte révèle à Mercédès la trahison de Fernand.
18. Mercédès connaît cette trahison depuis longtemps.
19. Le comte refuse la demande de Mercédès et la prie de sortir.
20. Furieuse, Mercédès menace de révéler l'identité de Monte-Cristo.

CHAPTER XVI

I. Idiomatic Expressions

Study the following expressions:

prêt à   ready to
tout à coup   suddenly
au milieu de   in the midst of
tous deux, tous les deux   both
d'habitude   usually
comme d'habitude   as usual

II. Word Study

Note the different meanings of the word **monde**:

tout le monde   everybody
l'estime du monde   people's esteem
vieille comme le monde   as old as the world
aller dans le monde   go into society
un homme du monde   belonging to the best society

Synonyms:

un **lieu**, une **place**, un **endroit** (*place*)
si grave, **tellement** grave (*so* grave)

Related words: The following words are related to each other; one or more have English cognates. Can you guess the meaning of those which you do not know?

présenter, la présentation, la présence, représenter, présentable
faveur, favoriser, favorable, défavorable, favorablement
préférer, préférable, la préférence, préféré

III. Verbs

The verbs **vouloir** and **pouvoir** are very important verbs, but rather difficult. They are generally studied together because they present some similarities in their conjugation. Study them carefully:

vouloir		**pouvoir**	
je	veux	je	peux
tu	veux	tu	peux
il	veut	il	peut
nous	voulons	nous	pouvons
vous	voulez	vous	pouvez
ils	ve**ul**ent	ils	**peu**vent

IV. Comprehension Test

Tell whether the following statements are true or false according to the story:

1. Le comte a décidé de tuer Albert en duel.
2. Au moment de se battre, Albert offre ses excuses au comte.
3. Il ne veut pas se battre parce qu'il a peur du comte.
4. Le pauvre Albert connaît maintenant la trahison de son père.
5. Il est impossible de punir les criminels sans frapper les innocents.
6. M. de Morcef se rend comme d'habitude à la Chambre des Pairs.
7. Ce jour-là, il y a une grande agitation dans la Chambre.
8. M. de Morcef est très inquiet à cause d'un article de journal.
9. Un membre de la Chambre demande une investigation.
10. M. de Morcef est décidé à mentir pour se défendre.
11. Il dit qu'il est la victime d'une calomnie infâme.
12. Une jeune femme se lève pour défendre Mondego.
13. Haydée dit qu'elle est la fille d'Ali-Tébelin.
14. Elle raconte l'histoire de la trahison de Fernand.
15. Mais elle ne peut pas prouver son accusation.
16. La Chambre déclare M. de Morcef innocent.
17. En rentrant chez lui, M. de Morcef trouve une lettre de sa femme.
18. Le comte de Monte-Cristo révèle son identité à M. de Morcef.
19. M. de Morcef rentre chez lui et son fils le tue.
20. Quand il apprend la mort de Fernand, Monte-Cristo dit: un.

CHAPTER XVII

I. Idiomatic Expressions

Study the following expressions:

un homme comme vous   a man like you
comme il ne parle pas   as he does not speak

comme procureur as the attorney
comme perdu as if lost
Comme Dieu me punit! How God punishes me!

un cas très rare a rare case
en ce cas in that case
en cas de in case of
en tout cas in any case

Note the difference between:

vous savez sans doute you doubtless know
vous ne savez sans doute pas you probably do not know

II. WORD STUDY

The following words are related to each other; can you guess the meaning of those which you do not know?

prudent, prudemment, la prudence, l'imprudence, imprudemment
accuser, l'accusé, l'accusateur, l'accusation
imaginer, l'imagination, imaginable, inimaginable
admirer, admirable, admirablement, un admirateur, l'admiration

III. VERBS

In some persons of the present indicative the **y** changes into **i** or vice versa. Note the following:

envoyer	payer	croire	voir
j' envoie	je paie	je crois	je vois
tu envoies	tu paies	tu crois	tu vois
il envoie	il paie	il croit	il voit
nous envoyons	nous payons	nous croyons	nous voyons
vous envoyez	vous payez	vous croyez	vous voyez
ils envoient	ils paient	ils croient	ils voient

IV. COMPREHENSION TEST

Of the three choices given with each statement, choose the one which best completes it according to the story:

1. Les gens parlent beaucoup (1) de la ruine du procureur du roi (2) des morts soudaines dans la famille de M. de Villefort (3) du mariage de Mlle de Villefort.

2. La mort des Saint-Méran laisse Valentine (1) sans parents (2) très riche (3) sans fortune.

3. Madame de Villefort (1) est bonne et charmante (2) n'aime pas Monte-Cristo (3) déteste Valentine.

4. Valentine (1) déteste son frère (2) aime Maximilien Morel (3) est la fiancée de Château-Renaud.

5. La limonade a été préparée par (1) Barois (2) M. Noirtier (3) Mme de Villefort.

6. Maximilien vient trouver le comte de Monte-Cristo parce qu' (1) il est troublé (2) il a besoin d'argent (3) il est heureux.

7. Le médecin appelé par M. de Villefort (1) est très stupide (2) croit qu'on a empoisonné les Saint-Méran (3) n'a pas de soupçons

8. L'opinion du comte est que (1) Dieu a condamné cette famille (2) les soupçons de Maximilien ne sont pas justifiés (3) toutes ces morts sont une coïncidence.

9. Quand Maximilien révèle au comte qu'il aime Valentine, celui-ci est (1) jaloux (2) heureux (3) frappé d'horreur.

10. Le comte sait que ces morts ont été causées par (1) l'empoisonnement (2) une attaque d'apoplexie (3) une épidémie.

11. Il croit que la prochaine victime sera (will be) probablement (1) Valentine (2) M. Noirtier (3) Édouard.

12. Pour sauver Valentine, le comte (1) envoie un élixir au grand-père (2) fait arrêter Mme de Villefort (3) enlève Valentine.

13. Le comte va demeurer près des Villefort (1) pour connaître Mme de Villefort (2) pour sauver M. Noirtier (3) pour protéger Valentine.

CHAPTER XVIII

I. IDIOMATIC EXPRESSIONS

Note the difference in meaning between:

Il fait chaud.   It is hot, warm (of the weather).
La soupe est chaude.   The soup is hot, warm (of a thing).
avoir chaud   to be warm (of people)

servir   to serve
se servir de   to use

Il se voit **tel qu'il est.**   He sees himself *as he is.*
un homme **tel que lui**   a man *such as he*
un tel homme!   *such a* man!

II. WORD STUDY

The following words are synonyms:

Il devient **fort** pâle.   He turns *very* pale.
Je suis **bien** stupide.   I am *very* stupid.
Il est **très** aimable.   He is *very* affable.
L'île est **toute** petite.   The island is *very* small.

Related words: The following words are related to each other. Can you guess the meaning of those which you do not know?

> connaître, la connaissance, reconnaître, connu, inconnu
> personne, personnel, la personnalité, le personnel, personnifier
> ouvrir, une ouvreuse, une ouverture, ouvert, rouvrir

III. Verbs

Four verbs ending in **-ir** are conjugated as if their endings were **-er.** They also have a special form for their past participles. They are:

ouvrir: j'ouvre, tu ouvres, il ouvre, nous ouvrons, vous ouvrez, ils ouvrent (J'ai ouvert)

offrir: j'offre, tu offres, il offre, nous offrons, vous offrez, ils offrent (J'ai offert)

souffrir: je souffre, tu souffres, il souffre, nous souffrons, vous souffrez, ils souffrent (J'ai souffert)

couvrir: (to cover) je couvre, tu couvres, il couvre, nous couvrons, vous couvrez, ils couvrent (J'ai couvert)

IV. Comprehension Test

Tell whether the following statements are true or false according to the story:

1. Le docteur Busoni est un grand ami de M. de Villefort.
2. Un soir, un domestique de M. Noirtier vient le chercher.
3. Il lui dit que Valentine de Villefort est morte.
4. Le médecin dit à M. de Villefort que Valentine a été empoisonnée.
5. C'est M. de Villefort qui a empoisonné sa fille.
6. Dr. Busoni accuse M. de Villefort de complicité.
7. M. de Villefort répond qu'il a averti la police.
8. Le procureur est pétrifié à l'idée du scandale qui va le ruiner.
9. Pour empêcher le médecin de le dénoncer, il l'empoisonne.
10. Puis il envoie sa femme chercher la police.
11. Madame de Villefort refuse d'aller au secours de Valentine.
12. M. de Villefort accuse sa femme d'avoir empoisonné Valentine.
13. Il lui commande durement de se suicider.
14. Mme de Villefort se jette à ses genoux et lui demande grâce.
15. Touché par ses prières, de Villefort pardonne à sa femme.
16. Il va ensuite dans la chambre de Valentine.
17. Le grand-père l'accuse d'avoir empoisonné Valentine.
18. Valentine est morte et son grand-père a beaucoup de chagrin.
19. Le procureur comprend qu'il est puni pour ses crimes.
20. Il veut aller demander pardon à sa femme.

21. Il frappe à la porte et Mme de Villefort vient lui ouvrir.
22. Mme de Villefort pardonne à son mari et tous deux quittent Paris.
23. M. de Villefort veut savoir qui est en réalité le Dr. Busoni.
24. Tout à coup, il reconnaît Edmond Dantès.
25. Le choc est si terrible que le procureur tombe mort.

CHAPTER XIX

I. IDIOMATIC EXPRESSIONS

Study carefully the following expressions:

Qu'est-ce que cela fait?   What does it matter?
Qu'est-ce que cela vous fait?   What does it matter to you?
Qu'est-ce qu'il fait?   What does he do?

Il le regarde **avec soin.**   He looks at it *carefully*.
Il **a soin de** le cacher.   He *is careful to* hide it.
Il **prend soin de** Valentine.   He *takes care of* Valentine.

II. WORD STUDY

The following words and expressions have the same meaning:

Il y va **vers** deux heures.   He goes there *around* (*about*) 2 o'clock.
Il passe **environ** deux heures.   He spends *around* (*about*) two hours.
Il dépense **près de** deux millions.   He spends *around* (*about*) two millions.

The following words are related to each other. Can you guess the meaning of those which you do not know?

gouverner, le gouverneur, le gouvernement, gouvernemental
courage, courageux, encourager, décourager, le découragement
place, placer, le placement, déplacer, remplacer, un remplaçant

III. VERBS

By this time, you have come upon quite a few verbs used in the past indefinite. This tense is used more frequently in French than it is in English, and for that reason it is often best translated in English by the simple past. Since this tense is formed with the use of the auxiliary *to have* or *to be* plus the *past participle*, it is the latter which you have to recognize. Some of these past participles are easy to identify because they either look like the infinitive (**dormir, il a dormi**) or like some form of the present indicative (**il fait, il a fait**). Some retain a good part of the stem (**il a aperçu, il a disparu**). But a few of them are very difficult to recognize because they are made of two or three letters only. Among them, you have already seen:

il a eu	he has had	*or*	he had
il a été	he has been	*or*	he was
il a vu	he has seen	*or*	he saw
il a bu	he has drunk	*or*	he drank

Here are a few others:

(lire)	**il a lu**	he has read, he read
(savoir)	**il a su**	he has known, he knew
(devoir)	**il a dû**	he had to
(pouvoir)	**il a pu**	he has been able, he was able
(rire)	**il a ri**	he has laughed, he laughed
(croire)	**il a cru**	he has believed, he believed
(mettre)	**il a mis**	he has put, he put

IV. COMPREHENSION TEST

Tell whether the following statements are true or false according to the story:

1. Depuis quelque temps M. Danglars perd beaucoup d'argent.
2. Monte-Cristo, au contraire, gagne beaucoup d'argent.
3. Danglars demande de l'argent à Monte-Cristo pour faire une spéculation.
4. Le comte dit qu'il va acheter des bons du gouvernement français.
5. Danglars risque tout son argent dans une spéculation.
6. Le comte de Monte-Cristo va faire un voyage en Italie.
7. Le comte semble chercher quelque chose dans la campagne.
8. Il s'arrête devant un poste télégraphique.
9. Il demande la permission d'envoyer un télégramme à Danglars.
10. Pour télégraphier, l'agent répète les signaux que son voisin lui fait.
11. Monte-Cristo offre de l'argent à l'employé pour envoyer un télégramme.
12. L'agent refuse et veut appeler un agent de police.
13. L'agent va en Normandie avec le comte de Monte-Cristo.
14. Un faux télégramme annonce que Don Carlos est rentré en Espagne (Spain).
15. La nouvelle cause une panique et Danglars est ruiné.
16. Danglars prend tout l'argent de Monte-Cristo et va en Italie.
17. Un détective de Monte-Cristo suit Danglars partout où il va.
18. Le comte fait arrêter Danglars par la police.
19. Danglars revient en France, ruiné et déshonoré.
20. Il sait que c'est Edmond Dantès qui a causé sa ruine.

CHAPTER XX

I. IDIOMATIC EXPRESSIONS

Study the following expressions:

> Maintenant il a **moins d'**argent   (*less*).
> C'est lui qui a **le moins d'**argent   (*the less*).
> **Au moins** j'ai fait son bonheur   (*at least*).
> **Du moins** j'ai cette consolation   (*at least, at any rate*).
> **la moindre** indication   (*the least*)

> Calcutta est **loin** de Marseille   (*far*).
> Il voit un bateau **au loin**   (*far, far away*).
> Il les suit **de loin**   (*at a distance*).
> N'allez pas **plus loin**   (*farther*).

II. WORD STUDY

Note the differences in meaning between:

> **il attend**   he is waiting
> **il s'attend à**   he expects
> **il attend de**   he expects from

Related words: The following words are related to each other. Can you guess the meaning of those which you do not know?

> passer, le passage, le passant, le passeport, le passé
> habiter, l'habitant, l'habitation, habitable, inhabité
> mort, le mort, mortel, mortalité, mortuaire

III. COMPREHENSION TEST

Of the three choices given with each statement, choose the one which best completes it according to the story:

1. Monte-Cristo veut (1) quitter Paris (2) donner une belle réception (3) aller demeurer en Normandie.
2. On parle beaucoup dans Paris (1) du voyage mystérieux de Monte Cristo (2) des malheurs qui ont frappé trois familles (3) du retour de Don Carlos en Espagne (Spain).
3. Les gens regardent maintenant Monte-Cristo (1) avec admiration (2) avec affection (3) avec appréhension.
4. Valentine de Villefort (1) vient d'annoncer son mariage (2) est entrée à l'hôpital (3) va faire un voyage avec Monte-Cristo.

5. La ville de Paris est (1) dans l'obscurité (2) vaste comme la mer (3) invisible dans la nuit.
6. En quittant Paris, Monte-Cristo se dirige vers (1) Alger (2) Gênes (3) Marseille.
7. Monte-Cristo aperçoit Albert de Morcef (1) sur un bateau (2) dans une voiture (3) dans un café.
8. Albert est devenu (1) riche (2) général (3) simple soldat.
9. Mercédès est pauvre parce que (1) son mari est fort ruiné (2) la police a confisqué sa fortune (3) elle a donné son argent aux pauvres.
10. Mercédès demeure maintenant à (1) Marseille (2) Paris (3) Alger.
11. Monte-Cristo (1) a abandonné Mercédès et son fils (2) les protège de loin (3) leur envoie de l'argent.
12. Mercédès pleure parce que (1) son fils vient de la quitter (2) son mari est mort (3) elle est ruinée.
13. Mercédès pense que tous ses malheurs viennent de (1) Monte-Cristo (2) sa trahison d'Edmond (3) la trahison de son mari.
14. Le comte regrette maintenant (1) de se séparer de Mercédès (2) d'avoir pardonné trop facilement (3) de s'être vengé trop cruellement.
15. Il veut maintenant (1) donner son argent aux pauvres (2) sauver Danglars (3) se faire soldat.

CHAPTER XXI

I. IDIOMATIC EXPRESSIONS

Study the following expressions:

Il est **tard.**   It is *late* (late hour).
Il est **trop tard.**   It is *too late* (to do something).
Il est **en retard.**   He is *late* (on the appointed time).

c'est-à-dire   that is to say
cela veut dire   that means . . .
Que veut dire ce mot?   What does that word mean?
Que voulez-vous dire?   What do you mean?

II. WORD STUDY

The following words are related to each other. Can you guess the meaning of those which you do not know?

part, le partage, partager, une partie, partiellement
triste, la tristesse, tristement, attrister
construire, le constructeur, la construction, reconstruire, la reconstruction

III. Comprehension Test

Tell whether the following statements are true or false according to the story:

1. Le baron Danglars s'est dirigé vers l'Italie.
2. Il est impatient d'arriver à Rome.
3. Il ne peut pas dormir parce que sa conscience n'est pas tranquille.
4. Un agent de la banque Thomson demande à parler à Danglars.
5. Peppino offre de servir de guide à Danglars.
6. Danglars, qui reconnaît le bandit, refuse ses services.
7. A la banque, on refuse de donner de l'argent à Danglars.
8. Danglars veut partir pour Venise après le déjeuner.
9. Mais il est impossible de trouver une voiture.
10. A cause d'un accident, on doit s'arrêter en route.
11. Sur la route, une troupe d'hommes arrête la voiture de Danglars.
12. C'est la police de Rome qui vient arrêter Danglars.
13. Les bandits demandent tout l'argent que Danglars a sur lui.
14. Danglars croit que les bandits vont le reconduire en France.
15. Le lendemain matin, Danglars a très faim.
16. Il peut commander tout ce qu'il veut pour déjeuner.
17. Mais le déjeuner coûte cent mille francs.
18. Danglars ne peut pas payer parce qu'il n'a pas d'argent.
19. Danglars, torturé par la faim, demande un morceau de pain.
20. Le morceau de pain coûte aussi cher que le poulet.
21. Chaque dîner va coûter cent mille francs à Danglars.
22. Le malheureux calcule qu'il peut vivre deux mois.
23. Le jour arrive où Danglars n'a plus que cent mille francs.
24. Les bandits ont pitié de lui et le mettent en liberté.
25. Monte-Cristo arrive et pardonne à Danglars.

KEY TO THE COMPREHENSION TESTS

CHAPTER I	1. (1)	3. (2)	5. (2)	7. (3)	
	2. (3)	4. (3)	6. (1)	8. (1)	

CHAPTER II	1. true	4. false	7. false	10. true	13. false
	2. true	5. false	8. true	11. true	14. true
	3. true	6. false	9. false	12. false	15. true

CHAPTER III	1. (1)	3. (3)	5. (2)	7. (1)	9. (1)
	2. (1)	4. (2)	6. (3)	8. (2)	10. (2)

CHAPTER IV	1. false	4. true	7. false	10. false	13. true
	2. true	5. true	8. true	11. false	
	3. true	6. false	9. false	12. true	

CHAPTER V	1. true	5. false	9. true	13. false	17. true
	2. false	6. false	10. true	14. true	18. true
	3. true	7. false	11. true	15. true	
	4. true	8. true	12. true	16. true	

CHAPTER VI	1. (3)	4. (2)	7. (2)	10. (1)	13. (2)
	2. (1)	5. (3)	8. (2)	11. (3)	14. (1)
	3. (2)	6. (1)	9. (1)	12. (3)	15. (3)

CHAPTER VII	1. false	5. false	9. true	13. false	17. true
	2. false	6. true	10. false	14. true	18. true
	3. false	7. true	11. false	15. true	
	4. false	8. true	12. false	16. true	

CHAPTER VIII	1. true	5. false	9. true	13. true	17. false
	2. false	6. true	10. true	14. true	18. true
	3. true	7. true	11. true	15. false	
	4. false	8. false	12. true	16. true	

CHAPTER IX	1. (1)	4. (3)	7. (2)	10. (1)	
	2. (3)	5. (1)	8. (1)	11. (1)	
	3. (2)	6. (2)	9. (3)	12. (3)	

CHAPTER X	1. false	5. false	9. false	13. false	17. true
	2. true	6. true	10. true	14. false	18. true
	3. false	7. true	11. true	15. false	19. true
	4. false	8. true	12. true	16. false	20. true

CHAPTER XI					
	1. false	5. false	9. true	13. true	17. false
	2. false	6. false	10. true	14. true	18. true
	3. true	7. true	11. true	15. false	19. true
	4. true	8. true	12. true	16. false	20. false

CHAPTER XII					
	1. false	5. true	9. true	13. true	17. false
	2. true	6. true	10. true	14. false	18. false
	3. false	7. false	11. false	15. true	19. false
	4. false	8. true	12. false	16. true	20. true

CHAPTER XIII					
	1. true	4. false	7. false	10. false	13. false
	2. false	5. false	8. true	11. true	14. true
	3. true	6. true	9. true	12. true	15. false

CHAPTER XIV					
	1. (2)	4. (1)	7. (3)	10. (2)	13. (3)
	2. (3)	5. (1)	8. (1)	11. (1)	14. (1)
	3. (3)	6. (2)	9. (2)	12. (1)	15. (2)

CHAPTER XV					
	1. true	5. false	9. true	13. false	17. true
	2. true	6. false	10. false	14. true	18. false
	3. true	7. true	11. true	15. true	19. false
	4. false	8. true	12. false	16. true	20. false

CHAPTER XVI					
	1. false	5. true	9. true	13. true	17. true
	2. true	6. true	10. true	14. true	18. true
	3. false	7. true	11. true	15. false	19. false
	4. true	8. false	12. false	16. false	20. true

CHAPTER XVII				
	1. (2)	5. (3)	8. (1)	11. (1)
	2. (2)	6. (1)	9. (3)	12. (1)
	3. (3)	7. (2)	10. (1)	13. (3)
	4. (2)			

CHAPTER XVIII					
	1. false	6. true	11. false	16. false	21. false
	2. true	7. false	12. true	17. false	22. false
	3. false	8. true	13. true	18. false	23. true
	4. true	9. false	14. true	19. true	24. true
	5. false	10. false	15. false	20. true	25. false

CHAPTER XIX					
	1. true	5. true	9. false	13. true	17. true
	2. true	6. false	10. true	14. true	18. false
	3. false	7. true	11. true	15. true	19. false
	4. false	8. true	12. false	16. false	20. false

CHAPTER XX

1. (1)	4. (1)	7. (1)	10. (1)	13. (2)
2. (2)	5. (2)	8. (3)	11. (2)	14. (3)
3. (3)	6. (3)	9. (3)	12. (1)	15. (2)

CHAPTER XXI

1. true	6. false	11. true	16. true	21. true
2. true	7. false	12. false	17. true	22. true
3. false	8. true	13. false	18. false	23. true
4. false	9. false	14. false	19. true	24. false
5. true	10. true	15. true	20. true	25. true

GENERAL VOCABULARY

Words and expressions marked with an asterisk (*) are translated in the text.

A

à to, at, for, with, in, by, from, of

il a he has; **il y a** there is, there are; **il y a (un an)** (one year) ago; **il y a longtemps** a long time ago

abandonner to abandon, give up

un **abbé** abbé

abject abject

une **abnégation** abnegation

abominable abominable

d' **abord** at first

abrupt abrupt

une **absence** absence

absent absent

absolu absolute

absolument absolutely

absorbé absorbed

absurde absurd

un **accent** accent

accepter to accept

un ***accès** a fit

un **accident** accident

accompagner to accompany

accorder to grant

accueillir to receive, welcome

accumuler to accumulate

une **accusation** accusation

accuser to accuse

un **accusé** accused person

acheter to buy; **tout s'achète** everything can be bought

achever to finish, complete

un **acte** act; ***— de naissance** birth certificate; ***— de vente** bill of sale

une **action** action, act

une **activité** activity

actuel, actuelle actual, present

un **adieu** farewell

administrer to administer

admirable admirable

admirablement admirably

une **admiration** admiration

admirer to admire

une **adresse** address

adresser to address

s' **adresser à** to speak to, address

un **adversaire** adversary

l' **adversité** adversity

affable affable

une **affaire** affair

les ***affaires** affairs, business

affecté affected

affecter to affect

une **affection** affection

affirmer to affirm

un **âge** age; **quel — a** how old is

un **agent** agent; **— de police** policeman

agile agile

agilement with agility

l' **agilité** agility

une **agitation** agitation

agiter to agitate, disturb

une **agonie** death agony, agony

agréable agreeable, pleasant

j' **ai** I have

une **aide** aid, help

aider to aid, help

aimable kind, amiable

il **aimait** he loved

aimer to like, love

ainsi thus, *so, therefore; **— donc** so

un **air** air, look, manner; **avoir l' —**

to look, seem; **d'un —** with a look, with an air

ajouter to add

une **alarme** alarm

alarmer to alarm

Alexandrie Alexandria

L' **Algérie** Algeria

aller to go; **— chercher** to go for, fetch; **— trouver** to go to (a person); **— se coucher** to go to bed; ***— de l'avant** to go ahead; **— + *inf.*** going to + *inf.*

allé gone; **être —** to have gone

une **alliance** alliance

nous **allons** we go, are going (to)

allons! let us go! come! come now!

allumer to light

alors then

amasser to amass

ambitieux, ambitieuse ambitious

une **ambition** ambition

amener to bring

amer bitter

un **ami, une amie** friend

une **amitié** friendship

un **amour** love

amuser to amuse

amusant amusing

un **an** year; **avoir (six) ans** to be (six) years old

anglais English

un **Anglais** Englishman

un **angle** angle, corner

une ***angoisse** anguish

un **animal (*pl.* animaux)** animal

une **animation** animation

animé animated, lively

une **année** year

annoncer to announce

une **antichambre** antichamber

un **antidote** antidote

une **anxiété** anxiety

anxieux, anxieuse anxious

une **apathie** apathy

apercevoir to see

s' **apercevoir** to notice

il **aperçoit** he sees

il s' **aperçoit** he notices

une **apoplexie** apoplexy

une **apparence** appearance

une **apparition** apparition

un **appartement** apartment

les **appartements** set of rooms, living quarters

il **appartient** it belongs

il s' **appelait** he was called

appeler to call

s' **appeler** to be named, be called

un **appétit** appetite

apporter to bring

une **appréhension** apprehension

en **apprenant** on learning

il **apprend** he learns

apprendre to learn, teach

approcher to draw near

s' **approcher** to approach, come near

approuver to approve

approximativement approximately

après after

un **après-midi** afternoon

une **aptitude** aptitude

ardent ardent

une **ardeur** ardor

l' **argent** money

un **aristocrate** aristocrat

aristocratique aristocratic

un ***armateur** ship owner

une **arme** arm

une **armée** army

un **arome** aroma

un **arrangement** arrangement

arranger to arrange

arrêter to arrest

s' **arrêter** to stop

en **arrière** behind

arrivé arrived; **être —** to have arrived

l' **arrivée** arrival
arriver to arrive
arrogant arrogant
l' **arsenic** arsenic
un **article** article
articuler articulate
tu **as** you have
l' **Asie** Asia
un **aspect** aspect
un **assassin** assassin
assez enough, rather
assister to assist; **— à** to be
present
assumer to assume
une **assurance** assurance
assuré assured, full of confidence;
mal — unsteady
assurer to assure
s' **assurer** to make sure of
attacher to attach
une **attaque** attack; **— cardiaque**
heart attack
attaquer to attack
en **attendant** meanwhile
attendre to wait, wait for;
— de to expect from
s' **attendre à** to expect
attentif attentive
(l') **attention** attention; **faire —**
pay attention
attentivement attentively
attester to attest
une **attitude** attitude
attribuer to attribute
au to the, at the, in the, with
aucun, aucune any, not any, no
l' **audace** audacity
audacieux, audacieuse
audacious, bold
aujourd'hui today
auprès near, with
auquel, auxquels to which, at
which
j' ***aurai** I shall have
nous ***aurons** we shall have
aussi also, as, so, therefore;

— ... que as ... as; **— bien
que** as well as
aussitôt at once, immediately;
— que as soon as
austère austere
un ***auteur** author
l' **authenticité** authenticity
une **autopsie** autopsy
les **autorités** authorities, magis-
trates
autour around
autre other; **un —** another;
tout — any other; **un tout —
homme** quite another man;
quelqu'un d'autre someone
else
autrefois formerly, *long ago
aux to the, at the, in the, with
j' **avais** I had; **il avait** he had;
ils avaient they had
une **avalanche** avalanche
*avaler to swallow
avancer to advance; **d'avance**
in advance; **en avance** early
s' **avancer** to go forward
avant before; ***aller de l' —**
go straight ahead; **— de + inf.,**
before + pres. part.; i.e.,
— de venir before coming
un **avantage** advantage
avantageux, avantageuse
advantageous
avec with
un **avenir** future
une **aventure** adventure
avertir to warn, notify
vous **avez** you have; **qu'est-ce que
—?** what is the matter with
you?
avide avid
avoir to have; **— l'air** to look,
seem; **— (six) ans** to be (six)
years old; **— besoin de** to
need; **— chaud** to be warm;
— confiance to trust; **— faim**
to be hungry; **— lieu** to take

place; — **peur** to be afraid;
— **pitié** to have mercy;
— **raison** to be right; — **à +**
inf., to have to + *inf.*

nous avons we have
*****avouer** to confess
*****ayez** have

B

bah! *interjection*
une **baie** bay
*****baisser** to lower
un **bal** ball
*****balancer** to swing
*****balbutier** to stammer
un **bandit** bandit
(une) **banque** bank; **en —** in the
bank
(une) *****banqueroute** bankrupt (person);
*****faire —** to go bankrupt
un **banquier** banker
la *****barbe** beard
un **baron, une baronne** baron,
baroness
une **barre** bar; *****— de fer** iron bar
bas, basse low; **tout bas** very
low; **à voix basse** in a low
voice; **la tête basse** with
lowered head
une **base** base
un **bateau** (*pl.* **bateaux**) boat
battre to beat, strike
se **battre** to fight
beau (*pl.* **beaux**) beautiful, fine,
handsome
beaucoup very much; **— de** a
lot of, many, a great deal of
la **beauté** beauty
bel, belle beautiful, fine, handsome
(un) **besoin** need; **avoir — de** to
need
une *****bibliothèque** library
bien well, very; **— du** a lot of;
— des many; **c'est —** all

right; **eh —!** well!; *****fort —**
very well; **vouloir —** to be
willing; **c'est — sa signature**
it is indeed his signature
bientôt soon
*****bienvenu** welcome
un **billet** a bill, IOU, note
blâmer to blame
blanc, blanche white
un **blasphème** blasphemy
blasphémer to blaspheme
un *****blason** coat of arms
bleu blue
blond, blonde blond(e)
bon, bonne good; *****c'est bon!**
all right, never mind!; **de**
bonne heure early; *****à la**
bonne heure! good!
les **bons** the righteous ones, good
people
bon a bond; *****— au porteur**
payable to the bearer, money
order, *****bank draft, cashier's check
un **bonapartiste** partisan of
Napoleon
le **bonheur** happiness
bonjour good day, good morning,
how do you do
bonsoir good evening
(le) **bord** board; **à —** on board
un *****boulet** cannon ball
la *****Bourse** Stock Exchange
(un) **bout** tip, end; **au — de** at the
end of
un **bras** arm
brave brave (before a noun:
good, worthy)
un **breuvage** beverage
brillant brilliant
briser to break
bronzé bronzed
(le) **bruit** noise; *****avec —** noisily
brusquement brusquely,
roughly, hastily, suddenly
brutal brutal
brutalement brutally

bu drank; **il a —** he drank
un bureau office, desk

C

une cabine cabin
cacher to hide
un cachot prison cell, dungeon
un cadavre cadaver, corpse
un café café
une cage cage
calculer to calculate
calme calm
calmer to calm, quiet
la calomnie calumny, slander, libel
calomnier to calumniate
un camarade comrade
un camp camp
la campagne countryside
un canon cannon, big gun
un *canot rowboat
un cap cape
capable capable
un capitaine captain
le capital (*pl.* **capitaux**) assets, capital, funds
la capitale capital, chief town
une captive captive
captiver to captivate, charm
la captivité captivity
capturer to capture
car for, inasmuch as
le caractère character
cardiaque cardiac; **attaque —** heart attack
un cardinal cardinal
caressant caressing
le carnaval carnival
(une) carte card; **une — de visite** calling card; **à la —** à la carte
(un) cas case; **en tout —** in any case
une cascade cascade
*casser to break
se *casser to get broken, break down
les catacombes catacombs

cataloguer to catalog
une catastrophe catastrophe
(une) cause cause; **à — de** on account of
causer to cause
la cavalerie cavalry
une caverne cavern
ce this, that, it; **— que, — qui** that which, what
ceci this
cela that; **c'est —** that's it
celle-ci, celle-là this one, that one, the latter; **celle que, celle qui** the one; **celle-là même** the very one
celui-ci, celui-là this one, that one, the latter; **celui qui, celui que** the one which
cent hundred, one hundred
une centaine around a hundred
le centième hundredth
le centre center
cependant however, meanwhile, yet
une cérémonie ceremony
cérémonieusement ceremoniously
cérémonieux, cérémonieuse ceremonious
certain certain, sure
certainement certainly
certifier to certify
ces these, those
cet, cette this, that
ceux-ci, ceux-là these (ones), those (ones), the latter; **ceux qui, ceux que,** the ones which
chacun, chacune each, each one, every one
le chagrin grief, sorrow
chagrin chagrin, morose, surly
une chaise chair; **— de poste** postchaise
une chambre chamber, room
la *Chambre des Pairs from 1814 to 1848, one of the two legislative

houses, the members of which
were called Pairs (Peers of the
Realm)

une **chance**   chance
   ***chanceler**   to stagger
la ***chandelle**   candle
   changer   to change
   chaque   each, every
   charger   to charge; **chargé de**
      in charge of, entrusted with
la **charité**   charity
   charmant   charming
le **charme**   charm
   charmer   to charm
un **château**   château, castle, fortress
un **châtiment**   chastisement,
      punishment
   chaud   hot, warm; **avoir —**   to
      be warm; **il fait —**   it is warm
un **chèque**   check
   cher, chère   dear, expensive
   chercher   to look for, hunt,
      seek; **envoyer —**   to send for;
      aller —   to fetch; **venir —**   to
      come for; **— fortune**   to seek
      one's fortune
   chercher à   to try to
un **cheval** (*pl.* **chevaux**)   horse
les **cheveux**   hair
   chez   at the house of, *among;
      — lui, — moi   at home;
      *— **qui**   in whom
la ***chimie**   chemistry
un **chimiste**   chemist
un **choc**   shock
(**une**) **chose**   thing; **quelque —**
      something
   cinq   five
une **circonstance**   circumstance
   circuler   to circulate
les ***ciseaux**   scissors
une **citadelle**   citadel
un **client**   client, patron
(**une**) ***cloche**   bell; ***un son de —**   the
      ringing of a bell
un **coffre**   coffer

(**le**) **cœur**   heart, soul; ***le — serré**
      with a heavy heart; **de bon —**
      heartily
une **coïncidence**   coincidence
un **collègue**   colleague
   ***coller**   to stick
une **colline**   hill
un **combat**   combat, duel, fight
   combien   how many, how much;
      — de temps   how long; **c'est
      —?**   how much?
une **comédie**   comedy
un **comité**   committee
le **commandement**   command
   commander   to command,
      order
   comme   as, like, as if, as the,
      how!
   commencer   to commence,
      begin
   comment   how, in what way;
      — cela?   how's that?
   comment!   what!
un **commentaire**   comment
le **commerce**   commerce, trade
   commercial   commercial
   ***commis**   committed; **il a —**
      he has committed
une **communication**   communication
   communiquer   to communicate
la **compagnie**   company
un **compagnon**   companion
la **compassion**   compassion
   compenser   to compensate
   complet   complete
   complètement   completely
un **complice**   accomplice
un **compliment**   compliment
il **comprend**   he understands
   comprendre   to understand
vous **comprenez**   you understand
ils **comprennent**   they understand
   compromis   compromised
   compter   to count
un **comte**   count
une **comtesse**   countess

concerner to concern
une concession concession
une condamnation condemnation
condamner to condemn
la condition condition
conduire to conduct, lead, guide, accompany, escort, steer; — **devant** to take to (a person)
vous conduisez you lead, guide, escort *etc.*; **conduisez-le** take him
il conduit he leads, escorts, guides
un conducteur conductor, driver
(la) confiance confidence, trust; **avoir —** to trust
confidentiel confidential
confier to confide, entrust (to, with)
confortablement comfortably
confronter to confront
confus confused
je connais I know
vous connaissez you know
connaître to know
la conscience conscience
un conseil advice
consentir to consent, agree
une conséquence consequence
considérable considerable
la considération consideration
consister to consist
la consolation consolation
consoler to console, comfort
un conspirateur conspirator
une conspiration conspiracy
constamment constantly
constant constant
la consternation consternation
*consterné dismayed, struck with consternation
la constitution constitution
un *constructeur constructor, ship builder
construire to construct, build
il construit he builds

consulter to consult
contempler to contemplate
la contemplation contemplation
contenir to contain
se contenter to be content
continuer to continue, go on
contracter to contract
(le) contraire contrary; **au —** on the contrary
contre against
la contrebande contraband
un contrebandier smuggler
contribuer to contribute
la conversation conversation
convoquer to convoke
convulsé convulsed, distorted
convulsif convulsive
la convulsion convulsion
cordialement cordially
corpulent corpulent
correct correct
un correspondant correspondent
un corridor corridor
un cosmopolite cosmopolite
un costume costume
(le) côté side, direction; **de ce —** in that direction, this way; **à —** beside; **d'un —** on one side; **de quel —?** which way?
couché lying down, gone to bed
(se) coucher to lie down, go to bed; **aller —** to go to bed
(un) coup blow; **tout à —** suddenly; **un *— de revolver** shot; **un —, deux —** once, twice
coupable guilty
couper to cut
le courage courage
le cousin, la cousine cousin
un *couteau knife
coûter to cost; **coûte que coûte** at any cost
une créature creature
le crédit credit
creuser to dig

un cri cry, shout; **pousser —** to utter a cry

crier to cry, shout, call out

un crime crime

un criminel, une criminelle criminal

ils croient they think, believe

croire to believe, think

je crois I believe, think

(vous) croyez you think, believe; **— bien** please believe

cruel, cruelle cruel

cruellement cruelly

la culpabilité culpability, guilt

la culture culture

les curieux sightseers

curieux, curieuse curious

la curiosité curiosity

D

une dame lady

un danger danger

dangereux, dangereuse dangerous

dans in, within, into

une date date

dater to date

de of, from, to, with, in, for, some, any; **d'un air** with an air; **plus —** more than; **— ce côté** in that direction; **l'autre côté** on the other side

le débat debate

debout standing

décider to decide; **— de, se — à** to decide

décidément decidedly

une décision decision

déclarer to declare

déconcerté disconcerted

décorer to decorate

décourager to discourage

découvert discovered

se découvre becomes visible, unfolds

décupler to decuple

défendre to defend, protect, forbid

la défense defence

la déférence deference

dehors out, outside; **au —** outside; **l'air du —** outside air

déjà already

déjeuner to lunch *or* breakfast

le déjeuner lunch *or* breakfast

le délai delay

la délibération deliberation

délicat delicate

délicatement delicately

délicieux, délicieuse delicious, delightful

délivrer to deliver

demain tomorrow

demander to ask, ask for; **je vous demande pardon** I beg your pardon

se demander to wonder

demeurer to live, reside, remain

un démon demon

dénoncer to denounce

la dénonciation denunciation

le départ departure

dépenser to spend

déplacer to displace

un *dépôt deposit

depuis for, since, since then; **il est ici — (trois) jours** he has been here for (three) days; **— longtemps** for a long time; **— quand?** since when? **— que** since

le dernier, la dernière the last

derrière behind

des of the, from the, some, any; **bien —** many

un désastre disaster

descendre to come down, go down, alight

un descendant descendant

désert deserted, unfrequented

le **désespoir** despair
le **déshonneur** dishonor
déshonorer to dishonor
un **désir** desire
désirer to desire, wish
la **désolation** desolation
désolé sorry, grieved, distressed
le **désordre** disorder
désormais from now on
desquels, desquelles of which, from which
une **destination** destination
la **destinée** destiny
destiner to destine
détacher to detach
un **détail** detail
un **détective** detective
détester to detest
le **détriment** detriment
une **dette** debt
deux two; **tous (les) —** both
deuxième second
devant in front of, before; **conduire —** to take to (a person)
développer to develop
devenir to become
devenu become; **il est —** he has become; **qu'est-il —?** what has become of him?
vous **devez** you must, owe, ought to, have to
il **devient** he becomes
devoir to owe, be obliged, be bound; (*followed by inf.*) must, ought, should, have to
nous **devons** we must, owe, . have to
dévorer to devour, eat up
diabolique diabolical
un **diamant** diamond
Dieu God; *si — le veut** God willing
la **différence** difference
différent different

difficile difficult
la **difficulté** difficulty
la **dignité** dignity
le **dîner** dinner
dîner to dine
dire to say, tell; **c'est-à- —** that is to say; **vouloir —** to mean
direct direct
directement directly
le **directeur** director, president (of a bank), manager
la **direction** direction
diriger to direct, steer, manage
se **diriger vers** to go toward
un **discours** discourse, speech
discret discreet
discrètement discreetly
la **discussion** discussion
ils **disent** they say, tell
disparaître to disappear, vanish
il **disparaît** he disappears
la **disparition** disparition
disparu disappeared
se **disperser** to disperse
la **disposition** disposition, disposal
la **dissimulation** dissimulation
dissimuler to dissemble, conceal
(la) **distance** distance; **à —** from a distance; **de — en —** at intervals
distinct distinct
distinctement distinctly
(la) **distinction** distinction; **une personne de —** a well-bred person
les **distinctions** honors
*distingué** distinguished
une **distraction** distraction
distribuer to distribute
il **dit** he says, tells
vous **dites** you say, tell; **dites-moi** tell me
dix ten; **— -neuf** nineteen
un **docteur** doctor, physician

un **document**   document

je dois   I owe, am obliged, must; (*with inf.*) I must, am to, have to, ought to

il doit   he must, owes, has to, is to; * **— y avoir**   there must be

le dôme   dome

un **domestique**   domestic, man-servant

donc   then, therefore (*when used for emphasis, it is variously expressed in Eng. or omitted altogether*)

donner   to give

dont   whose, of whom, of which

vous dormez   you sleep; **dormez** sleep

dormi   slept

dormir   to sleep, be asleep

il dort   he sleeps, is sleeping

une **dose**   dose

le double   double

* **doubler**   to double, pass a cape

la douleur   sorrow, grief, pain

douloureux, douloureuse painful, sorrowful

le doute   doubt; **sans —** doubtless, assuredly

douter   to doubt

se douter de   to suspect

le droit   right

(**la**) **droite**   right; **à —** on the right; **de —** on the right hand side

du   of the, from the, some, any

un **duel**   duel

la duplicité   duplicity

dur   harsh, hard

durant   during

durement   harshly

E

l' **eau**   water

* **ébloui**   dazzled

un **échange**   exchange

* **échapper**   to escape

écouter   to listen

écraser   to crush

s' **écrier**   to exclaim, cry out

écrire   to write

il écrit   he writes

écrit   written; **il a —**   he has written, wrote

ils écrivent   they write

vous écrivez   you write; **écrivez** write

une **éducation**   education

un **effet**   effect; **en effet**   quite so, indeed, that's true

un **effort**   effort

effrayant   frightening

une **effronterie**   effrontery

eh bien!   well! very well!

l' **Égypte**   Egypt

Elbe   Elba

une **élégance**   elegance

élégant   elegant

un **élève**   pupil, student

un **élixir**   elixir

elle   she, it, her; **— -même** herself

elles   they, them; **— -mêmes** themselves

éloigner   to remove

s' **éloigner**   to go away

éloquent   eloquent

embarrasser   to embarrass

embrasser   to kiss, embrace

une **émeraude**   emerald

* **émerveillé**   amazed

emmener   to take away (a person)

une **émotion**   emotion

empêcher   to prevent

un **empereur**   emperor

un **empire**   empire

un **emploi**   employ, employment

un **employé**   employe

employer   to employ, use

un **empoisonnement**   poisoning

empoisonner to poison

un *empoisonneur, empoisonneuse poisoner

emporter to take away

un *empressement eagerness,
   alacrity

un emprisonnement imprisonment

emprisonner to imprison

ému moved, excited

en (*prep.*) in, into, to, by, at,
   while, like a, as, on; — riant
   laughingly; — spectateur as a
   spectator; — quelques heures
   within a few hours

en (*pron.*) of it, of them, of that,
   of her, of him, any, some; for
   it, about it, with it, from there,
   from it, *etc.*

enchanté enchanted, delighted

un enchanteur enchanter

encore again, still, yet

encourager to encourage

l' encre ink

un endroit place

endurer to endure

une énergie energy

un enfant child

un *enfer hell

enfermer to lock up, shut in

enfin finally, at last; mais — but

s' *enfuir to run away, abscond

engager to engage

enigmatique enigmatic

enlever to take away, remove,
   abduct

un ennemi enemy

énorme enormous

une *enquête inquest, inquiry,
   investigation

*ensemble together

ensuite next, then, afterwards

il entend he hears

entendre to hear; se faire —
   to be heard

entendu heard; il a — he
   heard; entendu! agreed!

un enthousiasme enthusiasm

entourer to surround

entre between, among, with;
   — les mains in one's hands

une entrée entrance, entry

une entreprise enterprise

entrer to enter, come in

une enveloppe envelope

envers toward, to, for

une envie envy

environ about

il envoie he sends

ils envoient they send

envoyer to send; — chercher
   to send for

un épilogue epilogue

un épisode episode

épouser to marry

un *équipage crew (of a boat),
   *carriage and horses

une erreur error

une érudition erudition, learning

tu es you are

un *esclave slave

escorter to escort

l' *Espagne Spain

*Espagnol Spanish

espérer to hope

une esplanade esplanade

un espoir hope

l' esprit mind, wit

l' *Est East

il est he is; est-ce? is it?; est-ce
   que? (*sign of a question*);
   n'est-ce pas? is it not?, does it
   not? *etc*; *c'est bon all right,
   never mind; c'est bien all
   right; c'est combien? how
   much?; c'est-à-dire that is to
   say; c'est (it, she, he, this,
   that) is; c'est à vous it
   belongs to you; c'est que the
   fact is that; *s'il est if there is

une estime esteem

estimer to esteem, estimate

et and

établir   to establish

il était   he was; **j'étais**   I was

ils étaient   they were

été   been; **il a —**   he has been,
was

vous êtes   you are

étendu   lying down

une **étendue**   extent

éternel, éternelle   eternal

éternellement   eternally

une **éternité**   eternity

étrange   strange

un **étranger**   stranger

être   to be; **— à**   to belong to

étudier   to study

eu   had; **avoir —**   to have had

eux   they, them; **eux-mêmes**
themselves

une ***évasion**   escape

un **événement**   event

évidemment   evidently

l' **évidence**   evidence

évident   evident

exactement   exactly

exagérer   exaggerate

une **exaltation**   exaltation

exalté   exalted

examiner   to examine

exaspérer   to exasperate

Excellence   Excellency

excellent   excellent

excepter   except

excessivement   excessively

une **excitation**   excitement

exciter   to excite

une **exclamation**   exclamation

une **excuse**   excuse

excuser   to excuse

une **excursion**   excursion

exécuter   to execute

(un) **exemple**   example; **par —**   for
example

un **exercice**   exercise

un **exil**   exile

une **existence**   existence

exister   to exist

une **expédition**   expedition

une **expérience**   experience

une **expiation**   expiation

une **explication**   explanation

expliquer   to explain

une **exploration**   exploration

exposer   to expose

expressif, expressive   expressive

une **expression**   expression

extérieur   exterior

une **extradition**   extradition

extraordinaire   extraordinary

extravagant   extravagant

extrême   extreme

l' **extrémité**   extremity

une **exultation**   exultation

F

fabuleusement   fabulously

fabuleux, fabuleuse   fabulous

facile   facile, easy

facilement   easily

la **facilité**   facility, ease

la **façon**   way, manner

faible   feeble, weak

(la) **faim**   hunger; **avoir —**   to be
hungry; ***faire mourir de —**
to starve (someone) to death

faire   to do, make; (*with inf.*)
to cause something to be
done **— bâtir**   to have built;
— venir   to have (someone)
come; **— tomber**   to cause
(something) to fall; **— attention**
to pay attention; **— grâce** to
pardon; **— une question**   to
ask a question; **— plaisir**   to
please, give pleasure;* **— place à**
to be replaced by; **— peur**   to
frighten; **— une visite**   to pay
a visit; **se — entendre**   to be
heard; **que —?**   what to do?
what is to be done?; ***laissez —**
let it be

se **faire**   to become

nous faisons we do; * **— un commerce avec ...** we are engaged in a trade with ...
un fait fact, event
il fait he does, makes; **— chaud** it is warm; **— jour** it is daylight; **— nuit** it is nighttime; **il se fait un silence** there is a silence; ***vous avez bien fait** you did right; **qu'est-ce que cela fait?** what does it matter?
fait made, done; **il a —** he made, did
vous faites you do, make; **faites** do, make
fameux, fameuse famous
la **famille** family
fantastique fantastic
fasciné fascinated
la **fatigue** fatigue
fatigué fatigued, tired
une **faute** fault, error, sin, mistake
faux, fausse false
la **faveur** favor
favorable favorable
favorablement favorably
favoriser to favor
fébrile febrile
les **félicitations** felicitations, congratulations
la **félicité** felicity, bliss
une **femme** woman, wife
une **fenêtre** window
le ***fer** iron; ***barre de fer** iron bar
fermer to close, shut
féroce ferocious
fervent fervent
une **fête** fete, party, feast
une **feuille** leaf, sheet of paper
le **fiancé, la fiancée** fiancé; **fiancé à** betrothed to
fidèle faithful
fier, fière proud
fièrement proudly

la ***fierté** pride
*fiévreux, fiévreuse feverish
filial filial
(une) **fille** girl, daughter; **une jeune —** a girl, young lady; **petite- —** grand-daughter
un **fils** son
la **fin** end
finalement finally
fini finished, over
finir to finish, end
une ***fiole** phial
une **fissure** fissure
fixe fixed
fixement fixedly
la **fixité** fixedness
les ***flots** waves
fois time; **une —** once; **deux — ** twice; **à la —** at the same time; **tant de —** so many times; **une — là** once there; **chaque — que** whenever, each time
la ***folie** madness
fonctionner to function, work
forcer to force
la **formalité** formality
la **forme** form
formidable formidable
fort (*adj.*) strong
fort (*adv.*) very, quite; ***— bien** very well
une **forteresse** fortress
(une) **fortune** fortune; ***réaliser sa —** to convert one's assets into cash
fou, folle mad
la **foule** crowd
fournir furnish, give
un **franc** silver coin, the value of an American quarter at the time of the story
un **Français** Frenchman
le **français** French language
français French
frapper to knock, strike
fréquenter to frequent

un frère brother
frissonnant shivering
frissonner to shiver
froid cold
la froideur coldness
un fruit fruit
la *fureur fury
furieux, furieuse furious
furieusement furiously
furtif, furtive furtive
furtivement furtively
un *fusil gun

G

gagner to win, earn
gai, gay, cheerful, merry
la gaieté gaiety
la galanterie gallantry
une galerie gallery
un galop gallop
galvaniser to galvanize
un garçon boy, waiter
un garde guard, jailer
la garde protection
garder to guard, keep, protect
(la) gauche left; **à —** on the left; **de —** on the left hand side
un géant giant
Gênes Genoa
un général general
général general
généralement generally
généreux, généreuse generous
généreusement generously
la générosité generosity
un genou knee; **à genoux** on one's knees
(les) gens people; **les jeunes —** young men, young people
le geste gesture, sign
la goutte drop
le gouvernement government
le gouverneur governor
(la) grâce grace, mercy; **— à**

thanks to; **faire — à** to pardon; **—!** have mercy!
gracieux, gracieuse gracious, graceful
grand large, tall, great
le grand-père grandfather
le granit granite
la gratitude gratitude
grave grave
gravement gravely
grec, grecque Greek
la *Grèce Greece
gros, grosse big, large, bulky
la grotte grot, grotto
le groupe group
grouper to group
la guerre war
le guide guide
guider to guide, lead; **se — sur** to imitate, follow
la guillotine guillotine

H

une habitation habitation, dwelling
un habitant inhabitant
habiter to live in, reside
(une) habitude habit, custom; **d' —** usually; **comme d' —** as usual
hagard haggard
la haine hate, hatred
*haletant panting, breathless
une hallucination hallucination
un *hamac hammock
*hanter to haunt
hardi bold
hasarder to venture, risk
hasardeux, hasardeuse hazardous
(la) hâte haste; **en toute —** in great haste
se *hâter to hasten
*hausser to go up, rise
hein? hey? what?
hélas alas
un *héritier heir

héroïque heroic

un héros hero

une hésitation hesitation

hésiter to hesitate

(une) heure hour, time, o'clock; **de bonne —** early; **à quelle —?** at what time?; **à l' —** on time; **dix heures** ten o'clock; ***à la bonne —!** good!; **tout à l' —** a moment ago

heureusement fortunately

heureux, heureuse happy, lucky

hideux, hideuse hideous

hier yesterday

une histoire story

***holà!** hey there!

(un) homme man; **un jeune —** a young man

honnête honest

l' honneur honor, reputation

les honneurs honors, distinctions

honorable honorable

honorablement honorably

honorer to honor

l' horizon horizon

l' horreur horror

horrible horrible

horriblement horribly

hors de out of

un hôte host

un hôtel hotel, mansion, house

humain human

l' humanité humanity

une humiliation humiliation

hypnotisé hypnotized

un hypocrite hypocrite

I

ici here

une idée idea

une idole idol

ignominieux, ignominieuse ignominious

ignorant ignorant

ignorer to be ignorant of, not to know

il he, it; **il y a** there is, there are; **il y a (deux ans)** (two years) ago

ils they

une île isle, island

illimité unlimited

une illusion illusion

une imagination imagination

s' imaginer to imagine

imiter to imitate

immédiat immediate

immédiatement immediately

immense immense

imminent imminent

immobile immobile, motionless

une immunité immunity

une impassibilité impassibility

impassible impassible

une impatience impatience

impatient impatient

impénétrable impenetrable, inscrutable

imperceptible imperceptible

impérieux, impérieuse imperious

imperturbable imperturbable

implacable implacable

implorer to implore

l' importance importance

important important

imposant imposing

imposer to impose, thrust

une impossibilité impossibility

impossible impossible

une imprécation imprecation

une impression impression

improviser to improvise

une imprudence imprudence

imprudent imprudent

une impudence impudence

une imputation imputation

incapable incapable, unable

incarcérer to incarcerate

incertain uncertain

s' **incliner**   to bow
incomparable   incomparable
incrédule   incredulous
l' **incrédulité**   incredulity
indélébile   indelible
l' **indépendance**   independence
indépendant   independent
une **indication**   indication
une **indifférence**   indifference
indifférent   indifferent
une **indignation**   indignation
indiquer   to indicate
indirectement   indirectly
indispensable   indispensable
un **individu**   individual
indulgent   indulgent
ineffable   ineffable
inévitable   inevitable
inexorable   inexorable
infâme   infamous
une **infamie**   infamy
infester   to infest
infini   infinite
inflexible   inflexible
une **influence**   influence
une **information**   information
informer   to inform
ingénieusement   ingeniously
ingénieux, ingénieuse   ingenious
une **ingéniosité**   ingeniosity
injuste   injust
injustement   injustly
une **innocence**   innocence
innocent   innocent
inquiet   anxious, troubled, uneasy
inquiéter   to disturb, trouble
s' **inquiéter**   to become uneasy, worried
une **inquiétude**   inquietude, anxiety
insinuant   insinuating
insister   to insist
une **insolence**   insolence
insolent   insolent
inspirer   to inspire
une **installation**   installation

s' **installer**   to settle one's self
un **instant**   instant, moment
un **instinct**   instinct
instinctivement   instinctively
une **instruction**   instruction
un **instrument**   instrument, tool
une **insulte**   insult
insulter   to insult
l' **intégrité**   integrity
une **intelligence**   intelligence
intelligent   intelligent
intelligible   intelligible
un *****intendant**   steward
une **intention**   intention
intercéder   to intercede
*****interdit**   forbidden
intéressant   interesting
intéresser   to interest
un **intérêt**   interest
un **intérieur**   interior
interminable   interminable
interminablement   interminably
un **interprète**   interpreter
une **interruption**   interruption
un **interstice**   interstice
un **intervalle**   interval
*****intervenir**   to intervene
une **intervention**   intervention
une *****intimité**   intimacy, private life
intolérable   intolerable
inventer   to invent
une **invention**   invention
une **investigation**   investigation, inquiry
invisible   invisible
une **invitation**   invitation
un **invité**   guest
inviter   to invite
une **ironie**   irony
ironique   ironic, ironical
irriter   to irritate
(une) **irruption**   irruption; *****faire —** to burst in
l' **Italie**   Italy
un **Italien**   Italian
l' **italien**   Italian language

J

la **jalousie** jealousy

jaloux, jalouse jealous

jamais never, ever; **plus que —**
more than ever

le **jardin** garden

je I

jeter to throw, cast; **— les
yeux (un regard)** to cast a
glance

il **jette** he throws, casts

jeune young; **une — fille** a
girl, young lady; **les jeunes
gens** young men, young people

une **joie** joy

joli pretty

une **joue** cheek

(le) **jour** day, daytime; **tout le —**
the whole day long; **tous les
jours** every day; **il fait —** it
is daylight; **huit jours** a week;
ce — là that day

un **journal** (*pl.* **journaux**) newspaper

un **journaliste** journalist

(une) **journée** day; **toute la —** the
whole day long

jovial jovial

joyeusement joyously

joyeux, joyeuse joyous; ***tout
—** overjoyed

un **juge** judge

un **jugement** judgment

jusque to, till, until, as far as

juste (*adj.*) just

juste (*adv.*) exactly

justement as it happens

la **justice** justice

justifier to justify

L

l' (*for* **le, la**) the, it, him, her

la the, her, it; **— voici** here she
(it) is

là there; ***— où** where; **à quelque temps de —** some time
later; **ce jour- —** that day;
de ce côté — this way

laconiquement laconically

laisser to let, allow, leave;
— tomber to drop; ***laissez
faire!** let it be!

lamentablement lamentably

se **lamenter** to lament, mourn

un **langage** language

une ***langue** tongue, language

un **laquais** lackey

laquelle who, which, whom, that

laquelle? which? which one?
what?

large wide, broad, ample

une **larme** tear

le **latin** Latin

le the, him, it; **— voici** here he
(it) is

le **lendemain** the next day; **le
— matin** the next morning

lent slow

lentement slowly

*léguer to bequeath

lequel who, whom, which, that

lequel? which? which one?
*what?

les the, them; **— voici** here
they are

lesquels, lesquelles who,
whom, which, that

lesquels? lesquelles? which
ones? which? what?

une **lettre** letter

leur their; **le (la, les), leur**
theirs; them, to them

lever to raise, lift

se **lever** to rise, stand up,
get up, arise

la **lèvre** lip

la **liberté** liberty

libre free

(un) **lieu** place; **avoir —** to take
place; **au — de** instead of

une *lieue   league
limité   limited
la limonade   lemonade
lire   to read
vous lisez   you read; lisez   read
le lit   bed
il lit   he reads
la littérature   literature
livide   livid
un livre   book
une loge   lodge, *theater box
loger   to lodge
la loi   law
loin   far, far away, distant; plus
— farther; au — at a distance,
far off; de — from a distance
long, longue   long
longtemps   a long time
lorsque   when
lourd   heavy
lucratif, lucrative   lucrative
lui   he, him, it, to him, to her;
c'est — it is he; — -même
himself; sur — with him
la lumière   light
le *luxe   luxury

M

M. (abbr. for monsieur)   Mr.
ma   my
*machinal   mechanical
une machination   machination
une machine   machine
madame   madam, Mrs.
mademoiselle   Miss
magique   magical
un magistrat   magistrate
magnifique   magnificent
mai   May
(une) main   hand; à la — in his
hand; entre ses mains   in
his hands
maintenant   now
mais   but; — oui   why yes;
— enfin   but

(une) maison   house, home, firm; à la
— at home
un maître   master, teacher
malade   ill, sick
un malade   patient
un malheur   misfortune, unhappi-
ness, misery
malheureux   unfortunate,
unhappy
un malheureux   wretch
un malaise   discomfort
manger   to eat
une manière   manner, way
manifester   to manifest
manipuler   to manipulate
une manœuvre   maneuver
le *manque   the lack
manquer   to lack, miss, fail
un manuscrit   manuscript
un marchand   merchant
des marchandises,   merchandise,
goods
marcher   to walk, go
un mari   husband
un mariage   marriage
un marin   sailor
la marine   marine
une marque   mark
un marquis   marquis
une marquise   marchioness
mars   March
un masque   mask
masquer   to mask, hide, screen
un massacre   massacre
massacrer   to massacre, kill
une masse   mass
masser   to amass
les mathématiques   mathematics
(le) matin   morning; le lendemain
— the next morning
*maudit   accursed
mauvais   bad, malicious; un
— sourire   a malicious smile
me   me, to me; — voici   here I
am
méchant   bad, wicked, ill-

natured; **d'un air —** with a wicked look

les méchants evil-doers

une *mèche fuse

un médecin doctor, physician

une méditation meditation

méditer to meditate

la Méditerranée Mediterranean Sea

meilleur better; **le —** the best

la mélancolie melancholy

mélancolique melancholic

Mlle (*abbr. for* **mademoiselle**) Miss

mélodieux, mélodieuse melodious

un membre member

même (*adj.*) (*before a noun*) same; (*after a noun*) the very, the very same; **le jour —** that very day; (*after a pron.*) self; **lui- —** himself, *etc.*

même (*adv.*) even

menaçant menacing, threatening

une menace threat, menace

menacer to menace, threaten

mentir to lie

tu mens you lie

la mer sea

merci thank you

la mère mother

mes my

mesdames (*pl.* of **madame**) ladies

messieurs (*pl.* of **monsieur**) gentlemen

mesurer to measure

il met he puts, puts on, places

métallique metallic

vous mettez you put, on, place

mettre to put, put on, place

se mettre (à) to begin to, to set about; **— en route** to set out (on a journey); **— à table** to sit at table

le mien, la mienne mine

(le) milieu middle, center, midst; **au — de** in the midst of

un milord English lord, nobleman

un mille thousand, a thousand

un million million

un millionnaire millionaire

une miniature miniature

une minute minute

un miracle miracle

miraculeux, miraculeuse miraculous

un misanthrope misanthrope

une mission mission

MM. (*abbr. for* **messieurs**) gentlemen

Mme (*abbr. for* **madame**) Mrs.

modestement modestly, moderately, decently

moi I, me, to me; **— -même** myself; **sur —** with me; **à —** mine

le moindre the least

moins less; **au (du) —** at least

un mois month

(un) moment moment; **en ce —** at that moment, now, presently

mon my

(le) monde world, society, people; **tout le —** everybody; **du —** of the best society

un monosyllabe monosyllable

monsieur sir, Mr.

un monsieur gentleman

monstrueux, monstrueuse monstrous

monter to go up, climb, get into (a carriage), go aboard a ship

montrer to show, point out

se montrer to show one's self, prove one's self

un morceau piece

morose morose, surly

la mort death

un mort dead person

mort dead; **il est —** he is dead, died

mortel mortal, deadly

(**un**) **mot** word; ***le — de passe** password

vous mourez you die

mourir to die

un mouvement movement, motion, impulse

un moyen means

une multitude multitude

*****munir** to provide with

un mur wall

un murmure murmur

murmurer to murmur, grumble

mystérieux, mystérieuse mysterious

mystérieusement mysteriously

N

nager to swim

Napoléon Iᵉʳ Emperor of France 1804–1814

la nationalité nationality

naturel, naturelle natural

naturellement naturally

*****navré** heartbroken

ne *used generally with* **pas** *to form negative sentences, although used alone with certain verbs as* **savoir** *and* **pouvoir,** *i.e.,* **je ne sais, je ne peux.** *Used in negative expressions such as:* **— . . . rien** nothing; **— . . . jamais** never; **— . . . personne** no one; **— . . . plus** no longer; **— . . . ni . . . ni** neither . . . nor; **— . . . que** only

née born

nécessaire necessary

négligemment negligently, nonchalantly

nerveux nervous

ni nor; **ni . . . ni . . .** neither . . . nor

une niche niche, recess

un noble nobleman

noble noble, belonging to the aristocracy

noir black

un nom name

nommer to name, appoint

un nombre number

non no, not; **mais —** why no; **— seulement** not only; **— pas** not

le nord north; *****nord-est** North-east

nos our

noter to note, observe

notifier to notify

notre our

le nôtre, la nôtre ours

nous we, us, to us; each other, to each other

nouveau, nouvelle new; **de nouveau** again, once more

nouveau-riche newly-rich, upstart

une nouvelle piece of news

(**la**) **nuit** night; **il fait —** it is night; **dans la —** in the darkness; **cette —** tonight

O

une objection objection

un objet object

une obligation obligation

obliger to oblige

obscur obscure, dark

l' obscurité obscurity, darkness

obséquieux, obséquieuse obsequious

observer to observe, notice

un obstacle obstacle

obstinément obstinately

obtenir to obtain

une occasion occasion, opportunity

occuper to occupy
un **océan** ocean
octobre October
odieux, odieuse odious
offert offered; **il a —** he offered
un **officier** officer
une **offre** offer
il **offre** he offers
offrir to offer
oh! *interjection*
on *ind. pron. variously translated*
  as: one, they, people, you, we,
  etc., or by the passive voice, i.e.,
  on dit it is said
ils **ont** they have
onze eleven
l' **Opéra** opera house, opera
une **opinion** opinion
l' **or** gold
un **orateur** orator, speaker
ordinaire ordinary
il **ordonnait** ordered, commanded
un **ordre** order
organiser to organize
un ***orgueil** pride
l' **Orient** Orient, the East
oriental Oriental, Eastern
une **origine** origin
l' **ostentation** ostentation
ou or
où where, when, in which;
  * **— cela?** where?; ***là —**
  where
oublier to forget
oui yes; **mais —** why yes
ouvert open; **il a —** he
  opened
une **ouverture** opening
(il) **ouvre** he opens; **la porte s' —**
  the door opens
ouvrir to open

P

un **pacha** pasha
une **page** page, leaf (of a book)

il **paie** he pays; **ils paient** they
  pay
le **pain** bread
***pair de France** member of the
  Chambre des Pairs, Peer
une **paire** pair
un ***palais** palace
pâle pale
pâlir to turn pale
une **panique** panic
le **papier** paper
par by, through, with
une **parade** parade
il **paraît** he seems, appears
paraître to seem, appear
paralysé paralyzed
un **paralytique** paralytic
parce que because
(un) **pardon** pardon, forgiveness;
  je vous demande — I beg
  your pardon, excuse me
pardonner to pardon, forgive
pareil like, similar, same; **un —!**
  such a!
les **parents** parents, relatives
parfait perfect
parfaitement perfectly
parisien Parisian
parler to speak, talk; **parlez!**
  speak!
parmi among
une **parole** word, spoken word
(une) **part** part; ***de la — de** from,
  on the part of
il **part** he leaves, goes away
partager to share
vous **partez** you go away; **partez!** go!
parti gone; **il est —** he has
  gone, left
partir to go away, to leave
un **partisan** partisan
partons! let us go!
partout everywhere
(un) **pas** step; ***de ce —** right now
pas no, not; **ne ... —** not;
  non — not

un **passage** passage
le **passé** past
un **passeport** passport
   passer to pass, spend (time)
se **passer** to happen, take place
la **passion** passion
   passionné passionate
   paternel, paternelle paternal
la **patience** patience
   patient patient
   pauvre poor, unfortunate
les **pauvres** poor people
un **pavillon** pavilion, small house
   (in a garden)
   payer to pay
un **pays** country
une ***pêche** peach
(la) **peine** sorrow, grief, pain; **à —**
   hardly, scarcely
   pendant during; **— que** while
   pénétrer to penetrate
   pénible painful
la **pensée** thought
   penser to think, consider
il **perd** he loses, is losing
   perdre to lose, ruin (someone)
   perdu lost, ruined
le **père** father; *Sr.
une **perfidie** perfidy
une **période** period
une **perle** pearl
(**vous**) **permettez** you allow,
   permit; * **— -moi** permit me,
   allow me
   permettre to allow, permit
une **permission** permission
   perpétuel, perpétuelle per-
   petual; ***prison perpétuelle**
   life imprisonment
   perplexe perplexed, puzzled
   persécuter to persecute
une **persécution** persecution
une **personnalité** personality
une **personne** person
   personne (*with* ne) no one,
   nobody

   personnel, personnelle personal
   persuader to persuade
une **perte** loss
   petit little, small, tiny
   pétrifié petrified
   peu little, few; **— de** not
   much, not many; **un — de** a
   little; **— à —** little by little;
   à — près nearly
(la) **peur** fear; **avoir —** to be
   afraid; **faire — à** to frighten
il **peut** he can, may, might
   peut-être perhaps
ils **peuvent** they can, may, might
je **peux** I can, may, might
la **philosophie** philosophy
la **physionomie** physionomy
le **physique** physique
une **piastre** piaster
une **pièce** piece, coin
un **pied** foot
une **pierre** stone
un **pilote** pilot
une **pile** pile
(la) **pitié** pity; **avoir —** to pity;
   ***ayez —!** have mercy!; **par —**
   for pity's sake
la **place** place, situation
   placer to place, *invest
   (capital)
   ***plaisanter** to joke, jest
une **plaisanterie** pleasantry, joke
(le) **plaisir** pleasure; **faire —** to
   give pleasure, please
(**il**) **plaît** he pleases; **s'il vous —**
   if you please
un **plan** plan, drawing, draft
une **plante** plant
   plausible plausible
   plein full
   pleurer to weep, cry
   plonger to plunge
une **plume** pen
la **plupart** the greatest part, most
   of
   plus more; **le —** the most;

de — en — more and more;
— que, — de more than;
plus . . . plus . . . the more . . .
the more; **ne . . . —** no more,
no longer; **rien de —** nothing
more; **— rien** nothing more;
— que jamais more than
ever; **en — de** besides; **tout
au —** at the most
plusieurs several
plutôt rather, sooner than
une **poche** pocket
un **point** point, dot
une **pointe** point, tip
un **poison** poison
la **police** police
poliment politely
la **politesse** politeness
la **politique** politics
politique political
pompeux, pompeuse pompous
ponctuel punctual
un ***pont** bridge, deck
un **port** port, harbor
une **porte** door, gate of a city
porter to wear, carry;
— à ses lèvres to raise to one's
lips
poser to place, put
une **position** position, situation
posséder to possess
une **possession** possession
possible possible
(**la**) **poste** post; **chaise de —** postchaise
un **postillon** postillion, driver
la ***poudre** powder, gunpowder
le **poulet** chicken
pour for, to, in order to; **— que**
in order to, so that
pourquoi why
poursuivi pursued
poursuivre to pursue
pourtant however, still, yet
pousser to push, grow; **— un
cri** to utter a cry

vous **pouvez** you can, may, might
pouvoir to be able
une **précaution** precaution
précéder to precede
précédent preceding
précieux, précieuse precious
précipiter to hasten, precipitate
se **précipiter** to rush forward
précis precise, exact
la **précision** precision
préférable preferable
il **préférait** he preferred
une **préférence** preference
préférer to prefer
prématurément prematurely
le **premier, la première** the first
en **prenant** by (while) taking
prendre to take
vous **prenez** you take; **prenez** take
préoccupé preoccupied
préparer to prepare
près near, close by, close;
— de near, nearly
une **présence** presence
le **présent** present time; **à présent**
now
un **présent** present, gift
une **présentation** presentation
présenter to present
presque almost
un **pressentiment** presentiment
le **prestige** prestige
prêt ready; **— à** + *inf.* ready
to + *inf.*
un **prétexte** pretext
une **prévision** prevision
prier to pray; **je vous (en) prie**
I beg of you; **je vous prie** if
you please, please, I beg you
un **prince** prince
le **principal** principal, main
une **prison** prison, jail
un **prisonnier, prisonnière** prisoner
une **privation** privation
(**un**) **prix** price; **à aucun —** at any
price

probable probable
probablement probably
un **problème** problem
prochain next, coming
procurer to procure, get, obtain
le **procureur du roi** king's attorney
un **prodige** prodigy
prodigieux, prodigieuse prodigious
une **profession** profession
un **profit** profit
profond profound, deep
profondément profoundly, deeply, soundly
le **progrès** progress
un **projet** project, scheme
projeté projected, planned
une **promenade** walk
une **promesse** promise
il **promet** he promises
promis promised; **il a —** he promised
un **promontoire** promontory
promptement promptly
prononcer to pronounce
proposer to propose
propre (before noun) own, very own; (after noun) clean
prospérer to prosper
la **prospérité** prosperity
un **protecteur** protector
la **protection** protection
protéger to protect
une **protégée** protégée
une **protestation** protestation
protester to protest
prouver to prove
des **provisions** provisions, food
provoquer to provoke
prudent prudent
public, publique public
*publier to publish
puis then, next, afterward
(je) **puis** (second form of **je peux**) I can, may; **— -je?** may I?

puisque since, as
punir to punish
pur pure

Q

qu' for que
un **quai** quay
quand when, whenever
une **quarantaine** two scores
quant à as for
quatorze fourteen
quatre four
que (conj.) that, than, as; **ne ... que** only
que (int. pron.) what? **qu'est-ce —?** what?; **qu'est-ce qui?** what? **qu'est-ce — c'est?** what is it? **— veut dire ...?** what does ... mean? **qu'est-ce qu'il y a?** what is the matter? **qu'avez-vous?** what is the matter with you? **— faire?** what is to be done?
que (rel. pron.) whom, which, that; **ce —** that which, what
quel? quelle? what? which? who?
quel! quelle! what a!
quelque some, any; **quelques** some, several, a few
quelque chose something
quelquefois sometimes
quelqu'un someone; **— d'autre** someone else
quelques-uns a few, some
une **question** question; **faire —** to ask a question
questionner to question
qui (rel. pron.) who, whom, which, that; **ce —** that which, what
qui? (int. pron.) who? whom? **— est-ce qui?** who? **— est-ce que?** whom? *— vive? who goes there?

quinze fifteen
quitter to leave
quoi what, which

R

une race race, issue, breed
racheter to buy back, redeem
raconter to tell (a story)
des *rafraîchissements
refreshments
la rage rage, fury
(la) raison reason; avoir — to be
right
raisonnable reasonable
ramener to bring back
une rançon ransom
*ranimer to revive
rapide rapid, quick
rapidement rapidly, quickly
la rapidité rapidity
rappeler to call back
se rappeler to recall, remember
se rapprocher to come nearer
rare rare
un *rasoir razor
rassurer to reassure
se rassurer to feel reassured
ravager to ravage, lay waste
une réaction reaction
réaliser to realize, *convert into
cash
(la) réalité reality; en — really,
in fact
récent recent
une réception reception
recevant receiving
recevoir to receive
un récit story, narration
il reçoit he receives
recommander to recommend
recommencer to recommence,
begin again
reconduire to take back,
escort, accompany

il reconduit he takes back, escorts,
accompanies
reconnaître to recognize
il reconnaît he recognizes
reconnu recognized; il a — he
recognized
reconstituer to reconstitute
reculer to draw back, recoil
récupérer to recuperate, recover
redécorer to redecorate
redescendre to come down
again
redevenez become again,
become once more
redevenir to become again,
become once more
il redevient he becomes again
redoutable redoubtable, dreaded
refaire to do again, make over
refermer to close again, shut
again
réfléchir to think over,
ponder, reflect
une réflexion reflexion, thought
un refuge refuge, shelter
refuser to refuse
un regard look, glance; jeter —
to cast a glance
regarder to look at
un régiment regiment
régner to reign
un regret regret
regretter to regret
régulier regular
régulièrement regularly
une relation relation
relever to rise, lift
se relever to rise again, stand up,
arise
relevez-vous! stand up!, rise!
remarquable remarkable
remarquer to remark, notice
remercier to thank
remettre to put back, deliver
se remettre à to resume one's
occupation

remis put back, delivered
remonter to go up again, get in again (a carriage)
un ***remords** remorse
remplacer to replace, take the place of
remplir to fill up, fill again, fulfill
il **remplissait** he filled, fulfilled
une **rencontre** meeting, encounter
rencontrer to meet, encounter
rendre to render, give back, make; — **responsable** to hold responsible
se **rendre à** to go to
rendez-vous rendezvous, meeting, appointment
renoncer to renounce, give up
des ***renseignements** information
rentrer to re-enter, come back, return home
renvoyer to send back
reparaître to reappear
réparer to repair
repartir to leave
***repêcher** to fish out, rescue
se **repentir** to repent
la **répercussion** repercussion
répéter to repeat
il **répond** he answers
répondre to answer
une **réponse** answer
le **repos** rest, repose
repousser to push back, repel
reprendre to take back, resume, recover
représenter to represent
***réprimer** to repress
un **reproche** reproach
une **répulsion** repulsion, repugnance
la **réputation** reputation
réserver to reserve
la **résignation** resignation
la **résistance** resistance
résister to resist
une **résolution** resolution

le **respect** respect
respecter to respect
la **respiration** respiration, breathing
responsable responsible; **rendre —** to hold responsible
la **responsabilité** responsibility
ressembler to resemble, be like
une **ressource** resource
une **restauration** restoration
le **reste** rest, residue, remainder
rester to remain, stay; **il lui reste** there remains to him
une **restitution** restitution
(le) **retard** delay; **être en —** to be late
se **retirer** to retire, withdraw
retomber to fall back
le **retour** return
retourner to go back, return, turn over
se **retourner** to turn around
la **rétribution** retribution
retrouver to find, find again; **aller —** to go meet someone
réunir to gather, collect
réussir to succeed
la ***revanche** revenge
réveiller to awaken (someone)
se **réveiller** to wake up
une **révélation** revelation
révéler to reveal, divulge
revenir to come back, return
rêver to dream
la **rêverie** reverie
il **revient** he comes back, returns
ils **reviennent** they come back, return
revoir to see again
se **révolter** to revolt
une **révolution** revolution
un ***révolver** revolver
le **rhum** rum
riant laughing; **en —** laughingly

riche rich; — **à millions** rich with millions

un **rideau** curtain

rien nothing; **ne ... —** nothing, anything; **plus —** nothing more; **— de plus** nothing more

rigide rigid

le **rire** laugh, laughter

rire to laugh

le **risque** risk

risquer to risk, run the risk

il **rit** he laughs

un **rival** rival

une **robe** dress

un **rocher** roc

un **roi** king

*****rompre** to break

une **rose** a rose

rose pink

(**la**) **route** road, way, direction; **se mettre en —** to set out; **en — pour** on the way to

royal royal

royaliste royalist

un **rubis** ruby

une **rue** street

la **rumeur** rumor

la **ruine** ruin

ruiner to ruin

S

sa his, her, its

un **sac** sack, bag

un **sacrifice** sacrifice

sacrifier to sacrifice

saisir to seize

la **saison** season

(**il**) **sait** he knows; **si on —** if it is known

la **salle** room

le **salon** drawing room

saluer to salute, bow to, greet

les **salutations** salutations

*****sanglant** bleeding

un *****sanglot** sob

sans without; **sans** + *inf.*, without + *pres. part.*, *i.e.*, **— voir** without seeing; **— savoir** without knowing

sarcastique sarcastic

sardonique sardonic

une **satisfaction** satisfaction

sauter to jump

sauvage savage, wild

sauver to save, rescue

sauvons let us save

je **savais** I knew

vous **savez** you know

savoir to know, know how, find out

un **scandale** scandal

une **scène** scene

une **science** science

un **scrupule** scruple

*****scruter** to scan

se *used with reflex. and recip. verbs:* (to) himself, (to) oneself, (to) themselves, *etc.*; to one another

une *****séance** session

second second

secondaire secondary

une **seconde** second

secouer to shake; **— la tête** to shake one's head

(**le**) **secours** help; **appeler au —** to ask for help

un **secrétaire** secretary

un **secret** secret

secret, secrète secret

secrètement secretly

le **sel** salt

la **semaine** week

un **sémaphore** semaphore, signal-post

sembler to seem, appear

une **sensation** sensation

(**il**) **sent** he feels; **il se —** he feels himself

une **sentence** sentence

la **séparation** separation
séparer to separate
septembre September
il ***sera** he will be
il ***serait** he would be
sereine serene
vous ***serez** you will be
sérieux, sérieuse serious
sérieusement seriously
un ***serment** oath
un **serpent** serpent, snake
***serrer** to tighten; ***le cœur
serré** with a heavy heart
un **service** service
servir to serve
se **servir de** to use, make use of
ses his, her, its
seul alone; **le —** the only one
seulement only; **non —** not
only
sévère severe, harsh, stern
sévèrement severely
si (*conj.*) if, whether, supposing
si (*adv.*) so, so much, yes; **un
— bon** such a good
un **siège** siege
le **sien, la sienne** his, hers, its
les **siens, siennes** his, hers, its
le **signal** (*pl.* **signaux**) signal, sign
la **signature** signature
un **signe** sign; **faire —** to give
(make) a sign; **— de tête**
a nod
signer to sign
(le) **silence** silence; **en —** silently;
il se fait un — there is a
silence
silencieux, silencieuse silent
simple simple, plain
simplement simply
la **simplicité** simplicity
simuler to simulate
sincère sincere
la **sincérité** sincerity
sinistre sinister
la **situation** situation

situé situated
situer to place
six six
le **sixième** the sixth
la **société** society
soi self, oneself
soigner to take care of
(le) **soin** care; **avoir — de** to take
care of; **avec —** carefully
(le) **soir** evening; **bon —** good
evening; **ce —** this evening
qu'il ***soit** be, let him be
soixante sixty
un **soldat** soldier
solide solid
la **solitude** solitude
sombre somber, dark, gloomy
***sombrer** to sink
une **somme** sum
nous **sommes** we are
somptueux, somptueuse
sumptuous
un **son** sound
son his, her, its, one's
songer to think
sonore sonorous
ils **sont** they are
il **sort** he goes out
la **sorte** sort
vous **sortez** you go out
sortir to go out; **au — de** on
going out
soudain (*adj.*) sudden
soudain (*adv.*) suddenly
souffert suffered; **il a —** he
has suffered
la ***souffrance** suffering
il **souffre** he suffers
souffrir to suffer
soulever to lift
un ***soupçon** suspicion
la **soupe** soup
la **source** source, origin
***sourd** muffled, dull, toneless
(un) **sourire** smile; **un mauvais —**
a malicious smile

sourire to smile
*souriant smiling
il sourit he smiles
sous under
un souvenir souvenir, remembrance, memory
souvent often
*soyez be
un spasme spasm
spécial special
spécialement specially, especially
spécifier to specify
un spectacle spectacle
(un) spectateur spectator; *en — like a spectator
un spectre spectre, ghost
un spéculateur speculator
une spéculation speculation
splendide splendid
un *squelette skeleton
stable stable, firm
une statue statue
la stupéfaction stupefaction
stupéfait stupefied, astounded
la stupeur stupor, astonishment
stupide stupid
su known; il a — he has known; *je n'ai pas — I failed to
*subit sudden
substituer to substitute
subtil subtle
succéder to succeed
le succès success
une succession succession, inheritance
successivement successively
succomber to succumb
suffire to suffice, be sufficient
il suffit it suffices; — que it is enough that
*suffoqué flabbergasted
le suicide suicide
se suicider to commit suicide
je suis I am

il suit he follows
(la) suite following; tout de — at once
suivant following
(vous) suivez you follow; — -moi follow me
suivi followed
suivre to follow
un sujet subject
le sultan sultan
superbe superb
superposer to superpose
une supplication supplication
supposer to suppose
suprême supreme
sur on, upon; — lui with him
sûr sure
sûrement surely
la surface surface
*surmonter surmount, overcome
surpris surprised
la surprise surprise
la surveillance surveillance
suspect suspected
la sympathie sympathy
un symptôme symptom

T

ta your
une table table
taciturne taciturn
se taire to keep silent
tandis que while
tant (de) so much, so many; — que as long as; — de fois so many times
tard late, late hour
te you, to you, yourself, to yourself
tel, telle such; un tel! such a!
tel que such as; tel qu'il est just as he is
un télégramme telegram
le télégraphe telegraph
la télégraphie telegraphy

tellement   so much, so
un témoin   second, witness
(le) temps   time; **de — en —**   from time to time; **combien de —?** how long?
tendre   tender
tendrement   tenderly
tenez!   here! look here! *well!
vous tenez   you hold, keep
tenir   to hold, keep
la tentation   temptation
le terme   term, word
terminé   terminated, over
terminer   to terminate, finish
la terreur   terror
terrible   terrible
terrifier   to terrify
terroriser   to terrorize
tes   your
le testament   testament, will
(la) tête   head; **secouer la —**   to shake one's head; **un signe de —** a nod; **la — basse**   with bowed head
le théâtre   theater
*****tiens!**   well! so! naturally!
un tigre   tiger
timide   timid
timidement   timidly
tirer   to pull
un titre   title
toi   you
la toilette   toilet
la tombe   tomb
tomber   to fall; **laisser —**   to drop; **faire —**   to cause (something) to drop; **— à genoux**   to fall on one's knees
ton   your
le ton   tone, tone of voice
tonique   tonic
la torche   torch
la torture   torture
torturer   to torture
touchant   touching, moving
toucher   to touch, move

toujours   always, still, ever; *****pour —**   for ever
(le) tour   turn; **à (son) —**   (his) turn; **— à —**   by turns
un touriste   tourist
tourmenter   to torment
tourner   to turn
se tourner   to turn around
tout, toute, tous, toutes (*adj.*) all, every, any; **tout le**   the whole
tout (*adv.*)   quite, very, just
tout (*pron.*)   everything, all; **— autre**   any other; **tous (les) deux**   both; **— le jour**   the whole day long; **tous les jours**   every day; *****— joyeux**   overjoyed; **c'est —**   that's all; **après —**   after all; **— ce qui**   all that which; **— de suite**   at once; **— à coup**   suddenly; **— à fait**   quite; **— le monde**   everybody **— pareil**   identical **— en**   while; **— à l'heure**   a moment ago
une trace   trace
tracer   to trace
la tradition   tradition
le trafic   traffic, trade
la tragédie   tragedy
trahi   betrayed; **il a —**   he has betrayed, he betrayed
trahir   to betray
la trahison   treason
*****traîner**   to drag
un traître   traitor
tranquille   tranquil, calm
la tranquillité   tranquillity
une transaction   transaction
une transformation   transformation
transformer   to transform
transporter   to transport
travailler   to work

traverser to traverse, go through

à travers through

tremblant trembling

le tremblement trembling

trembler to tremble

trente thirty; **— -trois** thirty-three; **— -cinq** thirty-five

très very

un trésor treasure

un *tribunal court

une tribune tribune

triomphant triumphant

un triomphe triumph

triste sad

tristement sadly

la tristesse sadness

trois three

le troisième third

se tromper to be mistaken, be wrong

trop too; **— de** too much, too many

une troupe troop

troubler to trouble

trouver to find; **aller —** to go to find (a person)

se trouver to find oneself, be found, be situated

tu thou, you

tuer to kill

le tumulte tumult

un Turc Turk

U

un, une a, an, one; **— des** one of the

un uniforme uniform

unique unique

utile useful

V

il va he goes

vague vague

vaguement vaguely

vain vain, empty; **en —** in vain

je vais I go, am going; **— + inf.** I am going to + inf.

un valet valet, manservant

la vanité vanity

vaste vast

il *vaut it is worth

vendre to sell; **à —** for sale

vénérable venerable

vous venez you come; **venez** come

la vengeance vengeance, revenge

se venger to avenge oneself

venir to come; **— de + inf.** to have just + inf.; **— chercher** to come for, fetch

venu come; **il est —** he has come

vérifier to verify

véritable veritable, true

(la) vérité verity, truth; **en —** to tell you the truth

un verre glass

vers toward, to, about, around

vertueux, vertueuse virtuous

un vestibule vestibule

les vêtements clothes

(il) veut he wants, wishes; **il — bien** he is willing; **que — dire . . . ?** what does . . . mean?

je veux I want, wish

vexer to vex

un vicomte viscount

une victime victim

(la) vie life, living; **en —** alive; **sans —** lifeless, unconscious

un vieillard old man

vieil, vieille old

vous *viendrez you will come

ils viennent they come

il vient he comes; **— de** he has just

vieux old

la vigile vigil

vigoureux, vigoureuse vigorous

vigoureusement vigorously
un village village
une ville town, city
vingt twenty; **— -cinq** twenty-five
une vingtaine a score
la violence violence
violent violent
violet, violette violet, purple
je vis I live
le visage visage, face
visible visible
visiblement visibly
une visite visit; **faire —** to pay a visit, make a call
visiter to visit
un visiteur visitor, caller
il vit he lives
vite quickly, fast
vivant alive
vous vivez you live; **vivez** live
vivre to live
un vizir vizier
voici here is, here are; **me —** here I am; **le (la) —** here he (she, it) is; **les —** here they are
ils voient they see
voilà there is, there are; **le (la) —** there he (she, it) is; **les —** there they are; **— tout** that's all
voir to see
voisin, voisine neighboring, next to
un voisin, une voisine neighbor
il voit he sees
une voiture carriage

(une) voix voice; **à — basse** in a low voice
voler to steal
un volume volume
volumineux, volumineuse voluminous
ils vont they go
vos your
votre your
le vôtre, les vôtres yours
je voulais I wanted
vous voulez you want, wish, will
vouloir to want, wish, will; **— bien** to be willing; **— dire** to mean
vous you, to you, each other, to each other; **— -même** yourself
(un) voyage trip, voyage, journey; **être en —** to be traveling
voyager to travel
un voyageur traveler
il voyait he was seeing, saw
voyant seeing
(vous) voyez you see; **—** see
vrai true
vraiment really, truly
vu seen; **il a —** he saw
(la) vue sight; **en —** within sight
vulgaire vulgar

Y

y in it, to it, of it, at it, about it, there, here; **il — a** there is, there are
un yacht yacht
les yeux eyes; **jeter —** to cast a glance